星條旗下的中國人

劉曉莉 著

序一

站在第一本書上

張作錦

劉曉莉小姐是我的同事。她要我為她的新書《星條旗下的中國人》寫序，我當然不敢。書裡的文章，絕大多數都曾在《世界日報》上發表，我差不多事前都讀過，現在集合起來再讀一遍，不免有一些感想。

個人於役新聞界二十多年，和很多外勤同仁一起工作過。在我的經驗裡，一個好的記者，純從技術層面來說，大體上要符合下面三項條件：第一、對新聞的敏感度高，能透過事件複雜的表面，抓住公眾真正關注的焦點；第二、會蒐集材料，知道在什麼地方找東西把新聞充實起來；第三、有適當的寫作能力，可以把他的所見所聞所感完整而生動的表達出來。

在這「三條件」中，我對第一條尤有「偏愛」。記者要是沒有認識新聞的天賦和訓練，往往「見山不是山」，浪費了新聞素材。

我國退出聯合國那年，國人一片「莊敬自強」之聲，當時我是《聯合報》採訪主任，某日接到「國家博士聯誼會」的通知，他們定期招待記者，發表國是建言。我請一位年輕同仁先行訪問聯誼會總幹事周道濟先生。晚上我看到的是一條兩千多字的周先生談話稿，雖然有不少重要的建議，畢竟很多人都一再說過了。但是在文末周先生力陳政府應提高工作效率，以應付變局。他說，他是第一位國家博士，取得學位已經十年，卻還沒有領到博士證書，因為證書的樣式教育部還沒有設計出來。我建議那位同事割捨前面兩千字的老生常談，以凸顯最後證書的問題。

第二天，《聯合報》果然把這條新聞作「畫龍點睛」的處理。當時的三家晚報，都有賡續的報導或評論。電視台把周先生請到教育部門口，以教部大樓為背景，請他說明做了十年「無照博士」的經過和感想。兩週之後，教育部宣布，證書印好了。

如果以上述「三條件」作標準，曉莉是我遇到過的使人印象深刻的同事之一。八三年我從台北調到紐約《世界日報》總社，曉莉八五年在洛杉磯參加了《世界日報》。

我開始注意她，是她寫小留學生的事。那時這個問題已經很嚴重，但是它被掩藏起來，新聞界也還沒有認真探討過。曉莉不僅揭開它的面紗，而且很「殘忍」的解剖了小留學生精神和肉體所受的折磨，她也毫不留情的指出身在台灣父母的責任。這些報導，很引起國內的注意，政府對小留學生的護照問題，也有了適當的處理。

曉莉的「新聞感」不僅表現在這些重要而複雜的社會問題上，即使對一些「小事」，也隨處看得出她的觀察與反應。譬如洛克希公司一則「明朝與太空站」的廣告，竟引出她的歷史考據；幾片玉塊，可反證蔣宋美齡女士沒有盜國寶；看了〈末代皇帝〉電影，要追問陳寶琛有沒有送溥儀蟋蟀。

從事新聞工作的人都知道，「人對人最有興趣」。這幾年，曉莉訪問了不少中外人士，很有價值，也很動人。晏陽初先生是我建議她去訪問的，晏先生本不大接見訪客，曉莉去了一趟鳳凰城，竟帶回那麼多材料。書中看到的，只是當初報紙上刊出的一部分。如今晏先生已作古人，這是他最後留下的公開談話。

曉莉這本書的價值，不僅在討論美國社會的各種問題，也介紹社會的各種現象，如中國學生說英語、美國的性教育、南加州的按摩業、以及救世軍戒毒戒酒中心等等。

透過她的報導和分析，幫助了在美國的中國移民更快適應這個社會，也使在美國之外的中國人對美國有多一點和深一點認識。

當然，要說曉莉的每一篇文章都已盡善盡美，那是對她不應有的「溺愛」。在「追求卓越」的理想下，有些地方還可再加努力。譬如〈《愛麗絲夢遊仙境》也是禁書〉，就嫌簡略。九〇年四月廿三日，「美國書商協會」（American Booksellers Association）主席莫洛（Ed Morrow）領導美國出版界，在《紐約時報》上刊出全頁廣告——〈致美國讀者一封未經檢查的信〉（An Uncensored letter to America's readers），呼籲全國人一起寫信，抗議各方面對出版自由的干預。廣告中所提到的「禁書」，竟然還包括我們一向認為的良好讀物如《頑童歷險記》、《麥田捕手》和《憤怒的葡萄》等。不僅是書籍，雜誌也受杯葛，如《生活》、《體育畫報》和《時尚》。電視節目也受株連，如〈黃金女郎〉之類。在我們的印象裡，美國是言論出版自由最高度發達的國家，像「禁書」這類問題，就不是短短幾個字可以向讀者解釋得清楚。而記者限於採訪範圍、時間壓力、資料來源以及「今天的新聞明天就不新鮮」的習慣性看法，往往淺嘗即止。

以曉莉的「新聞感」，以她中英文駕馭的能力，以在美國蒐集材料的方便，今後可以走「專題專寫」的路。比方說，小留生的事，是當代中國一個很特殊的事件，是分裂動盪國家中政治、文化和社會交相感應的表徵。誰能寫出這樣的一本書，不僅是對時代的探索，也必將是對歷史的交代。

好在曉莉年輕，她有很多時間做這樣的事。這只是她第一本書，她站在這本書上，會看得更遠，更清楚。

一九九〇年五月五日於紐約市

序二

卜大中

六〇年代末我在政大外交系讀書的時候，正是台灣大學生流行搞存在主義的時候。如果你不披頭散髮、言行怪異、喝咖啡不加糖，那就不能彰顯「存在的荒謬」；如果說話之間不涉及「存在先於本質」之類的修辭，就別想罩住蜜斯（陳映真小說《唐倩的喜劇》對此有精彩描寫）。我在這套文化化粧品籠罩之下，恐懼莫名，深怕被女生當成沒氣質、沒學問的糗卡棄如敝屣，便去哲學系從項退結教授修「當代西洋哲學」。修了一年，勉強及格，因天賦太差，至今那些大哲的言行理論多已奉還項教授。

畢業至今，渾渾噩噩過了十八寒暑。日前正在家納悶，突然接到劉曉莉的軍令，要我為她的集子寫感想，並且不由分說，用快遞寄來稿件一疊。

我的感覺很複雜，一則嘛，有人抬愛，自是受寵若驚，何況我本來就是給個鼻子就長張臉的人物。二則藉曉莉的名氣我也搭順風車跟著出點名，何況我本來也是個狐假虎威的人物嘛。三則又怕寫砸了，讀者大人一怒之下不看本文了，豈不連累了她。所以抓耳搔腮很是拿不定主意。

後來，兩件事情給了我勇氣。一件是前幾天曉莉打電話來，嚷嚷說《世界日報》社長張作錦先生給她寫了序，且「抬愛、批評兼而言之，文辭誠懇，感人肺腑」（劉曉莉語），我便放下了心。有張先生這位前輩作序，必然擲地有聲，我這邊鼓敲得再糟，也斷不會壞了她的佳作。

第二件事是我讀完了曉莉的稿子之後，十八年前我唸存在主義大哲齊克果的一句話突然不知道從腦子裡什麼鬼角落蹦了出來。他老兄在談到自己的一生時說：「我半是遊戲人間，半是心存上帝。」

一想到這句話，當時就勇氣百倍，有了，就是它，這種感覺正是我讀曉莉文章的心得，要不然怎麼會鬼使神差地跑出來？

還真要感謝劉曉莉，要不是她的稿子，齊老兄必埋在我潛意識中默默無聞，含恨以終。

言歸正傳。曉莉的文章與一般記者不同之處在於「有情」二字；除此之外，還有別的記者更少的「幽默」情趣。

有情者事事關懷，寬恕厚道。曉莉筆下人物，無論是小留學生、未婚媽媽、遭虐待的孩子、移植錯誤的華人，都活生生地呼之欲出，尤其難得的是，曉莉筆下對他們都是注以深情，誠摯感人的，而且收放自如，自然流露，既沒有新聞報導的乾澀冷酷，也沒有矯情虛誇，給人恰到好處的感覺。

這又使我想到另一句話。才活了卅四歲的法國女思想家席門・維爾（Simone Weil）曾說：「罪惡不是別的，而是對人類的不幸沒有體認」（Sin is nothing else but the failure to recognize human wretchedness）。在美國的華人社會，一方面異域掙扎，奮鬥求生，一方面傳承優秀的中華文化中對人的冷漠，很少人去注意悲慘的事情和人物，劉曉莉的報導喚醒了華人心靈中善良的一面。例如一個十四歲女孩受遺棄的報導，引來了許多人關懷的信函和溫暖的手。

幽默的文章也很多，如「男性脫衣舞」、「瑪丹娜能，老婆不能」等，很溫暖地寫出了一些有趣的現象，含蓄地表達了男女平等的思想，並且心胸寬大地接受它成為事實，而不去做無謂的針砭和泛道德的說教。

各篇文章雖然獨立成章，互不相屬，但是一貫的主題是文化的溝通，誠如她自己所言，是在做「文化的橋樑」，而全書一致的風格則是關懷的、樂觀的和正面的。文筆雖不華麗，卻樸實可愛，入口即化，在新聞報導中，是相當好的佳作。

值得一提的是對晏陽初的採訪，雖然她沒有時間細究晏陽初的一生並深入晏氏心靈之中，但以記者在短短時間內所做之功，已能凸顯出晏氏之為人與為事之偉大。僅看這篇訪問，晏陽初之真實、識見和赤子之心已活靈活現，彷彿就坐在對面，品茶細談一般。

前天，曉莉打電話來說，「張作錦先生的序評我文章的部分真是正中要點。我這人就是不怕死，你一定要好好批評我一下。」

這就是劉曉莉，爽朗、正直、上進心重。從第一天認識她到現在，我常常暗自心驚，因為親眼看到她的進步，也由此可知她給自己的壓力多大，相比之下，我這癡長幾歲的新聞同業實在要差得多。我想這是她父母從小對她嚴格管教的關係吧。在愛和鼓勵的環境中長大的孩子，性格是光明的，對世間也以愛的眼光看待。劉伯父伯母的灌溉，不但惠及曉莉，也澤及不幸的人物。

記者必須客觀，但比客觀更重要的是正義感和關懷的心。客觀是技術問題，可藉訓練而成之；但是正義和關懷則是人格的成分，是心靈的素質，不是訓練可以獲致的。

如果一定要說什麼缺點，我只能雞蛋裡挑骨頭地說，報導上資料不足夠，也不周全，評論較少，尤其是很少看到劉曉莉自己有組織地系列性深入的意見和看法。這也許是記者的習慣，但也可能是陷阱，懶得深入思考，只以現象報導為滿足。如要再上層樓，理論的修養似不可少。

我以曉莉為榮，常對人說：「我的朋友劉曉莉如何如何」，也以她為鞭策，激勵自己。在此，我衷心祝福她永遠人格高尚、心靈優美。

自序

初生之犢不畏虎

——淺談對新聞之認識與自我期許

中學時代，我常在辭修高中校刊《誠園》投稿，對寫作發生濃厚興趣，當時便夢想，將來要做一名新聞記者。

十七、八歲對新聞工作並無實際概念，直覺上只認為記者是「無冕王」，每天可以接觸到不同的人、事、物，「好玩」之餘，還可以出出鋒頭。

大學時代，始體認新聞事業的包羅萬象，做一名稱職的記者，必須對各類知識有廣泛而深入的了解，才能善盡客觀報導新聞和公正解釋新聞的職責。

遺憾的是，新聞系四年期間，由於環境、時間以及個人能力的限制，對於語文學科、社會科學和新聞學科都只能淺嘗輒止，無法做深入研究。然而在這段期間，對新聞工作發生強烈的熱愛與喜好，在校內外均積極參與編輯、採訪的工作。

在文化大學新聞系《文化一週》任記者及編輯時，曾獲得最佳採訪獎、最佳工商新聞報導獎、最佳工商編輯獎及趙君豪新聞獎。此外在校刊《畢服會訊》也擔任過總編輯，從採訪、校對、編排、美工、發行，無一不親自參與。

由於自己個性外向，大學時代喜歡參加校外活動，除了參加救國團國際事務研習會，經過甄試，擔任海外青年回國訪問團、國際青商會等接待工作外，並擔任國際威廉瓊斯盃籃賽第三、第四屆美國隊接待員。

在參與這些活動時，讓我對新聞工作產生另一種體認：要做一名海闊天空的記者，必須要比常人多一分努力與鬥志，在語文及專業知識上多下一層功夫。

畢業後，我決定出國留學，申請成為美國密蘇里新聞學院的交換生，學習期間，我驚訝美國人在新聞知識、技術上的領先及進步，更深深體會新聞記者在社會中扮演的重要角色。綜合兩年，我學到如何用最科學的方法迅速閱讀、採集、運用及表達；廣泛閱讀有關政治、歷史、文學的書報雜誌。我警覺到新聞自由對國家的正面意義及被濫用的危險性，而新聞責任與職業道德對社會更有重大的影響力。

我在新聞研究所兩年學習期間，理論上收獲很多，但是對實務仍非常缺乏，很幸運地，在畢業後，能即刻加入美國世界日報洛杉磯分社的新聞採訪行列，使多年來做一名專業新聞記者的夢想得以實現，也終使理論與實務配合，學以致用。

《世界日報》在美洲發行以來，無論在言論尺度以及版面編排、美化上都有長足的改變與進步。但在海外辦報，限於人力財力，尚無法像國內報紙僱用大批編採人員，分門別類去幹。在美國做一名華文報記者要以一當十，要能跑、能寫、能譯，並要有流利的雙語能力，才足以勝任工作。

我一九八五年進入《世界日報》，一轉眼便是五年，這期間特別受到洛杉磯總編輯唐達聰（現為社長）嚴格督促，在新聞採訪上絲毫不敢掉以輕心，並時時要求自己在新聞寫作及採訪上突破及提高水準。

比起許多海內外華文記者，我的資歷很淺，但學習的衝勁還夠，一直總有一個長遠的目標，在海內外讀者及美國社會間搭一座橋，在這個多元文化及環境複雜的社會中負起溝通的角色，並確實、深入反映華人的現實生活。

猶記在大學時代曾訪問前總統府資政及新聞界的才子魏景蒙先生，他在見報後特別打了一通電話到家裡給我，嘉許「妳會是個優秀的記者！」魏景蒙先生已於八二年離開人世，但他小小的鼓勵，卻讓我立定志向，決定在默默耕耘中，努力向新聞界的老兵看齊，希望有朝一日，也有他們的水準及成就。

這本書的內容，多半是過去五年在《世界日報》發表過，比較軟性的文章，有些加入了採訪外記，提出自己對新聞事件的看法及感受。

我要感謝《世界日報》南灣辦事處主任孫建中先生，他過去擔任《聯合報》副總編輯、採訪主任，由於他不斷地鼓勵及提供寶貴的意見，讓此書得以成形。另外，《世界日報》洛杉磯分社社長唐達聰先生，不只在新聞工作上對我影響很深，他的敬業精神也為我及年輕一代的新聞從業員樹立了良好的楷模。

聯合報系美加新聞中心主任張作錦先生，為我寫序撐腰，他不嫌我過於唐突、生澀，提供了自己寶貴的經驗及意見，對本書做了慷慨的評價，令我十分感激。

張作錦先生表示有些文章犯了資料簡略的毛病，我想在報社做記者的同事，和我一樣常有相同的苦惱，每天在截稿及字數的壓力下，常常只能「蜻蜓點水」，把新聞的表象客觀呈現出來，無法做深一層的分析。我在這本集子內的短稿有些都是在一天採訪過後、搜集資料寫出來的。

舉例來說，〈異域迷失的小龍人〉是我在看到台灣外交部公佈洛杉磯小留學生超越五千人的消息後，靈機一動，鑽進五、六個中小學，訪談小留學生，在一天之內交差的稿子。那時抱一個目標：把小留學生的實際狀況及內心想法呈現給讀者，而不只是從單純數字上了解小留學生動向。

這篇報導是外交部公佈小留學生數字後，第一篇探討小留學生內心世界的稿子，之後，陸陸續續在台灣及美國的新聞同業也做了相當多深入的分析及探討，對讀者做了比較完整的交代。

誠如作老建議，未來對於許多好的題材可以補充資料、做有系統深入的整理，這也是我長遠的目標。

做一名記者，有很大的社會責任，特別是在海外做華文報的記者，擔子顯得更重，在許多新聞界老前輩的呵護及鼓勵下，勢必要戰戰兢兢，克盡職守。

作者自畫象

目次

第二部 觀洋人．洋人觀

附錄

第一部

徬徨中國人

我是E·T

父母在台灣，自己單獨留在美國唸書的孩子，在校園中常被戲稱為「E·T」或「空降部隊」。E·T有雙重意思：一代表**Easy Target**，容易被欺負的目標；二代表**Extraterrestial**，一個對美國毫無了解，易鬧笑話的外來人。空降部隊則表示父母將孩子單獨留在美國，任其自由發展，自己不在身邊指導。

有很多本地學生排斥剛來美國不久的新移民，這些新到的學生多半聚集在一起，用中文或其他本國語交談，引起當地學生不滿。因此在校園中產生誤會，衝突，甚或打架事件。在校園中的白人學生有另一種傳言：「中國學生都很有錢，自己有大房子住，好汽車開，每個禮拜都舉行派對。」因此產生看不順眼或妒忌心理。

事實上，據加州聖蓋博高中訓導主任康費爾（Stephen Kornfeld）表示，學生之間的誤傳及偏見多半導源於文化差異。

他表示，該校有三千兩百多名學生，有四分之一是外國學生，這些學生來自不同國家，講三十種不同的語言，每個學生有每個學生的問題，除非家長或學生本身主動提出，學校很難了解他們的困難，及給予幫助。他強調，在美國的教育制度，父母的角色及權利是重於學校的。

康費爾表示，有些華裔女學生，由中文教師陪同，一起來辦公室找他。這些女學生因為受到學校男學生的騷擾或是夜間與男同學獨處，感到害怕而無處投訴。當康費爾發現這些女學生的家長竟然都在美國本土之外時，十分驚訝，並感覺父母不在的嚴重性。

他表示，學校中有很多學生是和姊妹或兄弟住在一起，監護人自己也是十幾二十歲的年輕孩子，遇到重大事情發生時，監護人的責任很重，帶給這些大哥、大姊相當大的負擔及心理威脅。此外，這些年輕的監護人並沒有父母的權威性或有足夠的經驗做孩子的指引。

心理輔導員張憶家指出，在美國初高中就學的孩子，正處於人生風暴期，第二性徵開始出現，外表上會改變很多，在他們適應新的文化及語言時，同時要適應自己生理上的變化，可以說是最需要指導的時期。在他們踏入成人世界前，價值觀、道德觀也都慢慢成形，此時父母不在身邊關懷、支持，子女在遭遇挫折時，常用自己認為最妥當的方式處理，其實這些方式未必妥當。而在應付問題，面對困難時，心理壓力及打擊太大，間接會影響人格的形成或處事準則的建立。外表看起來像是早熟，其實心靈仍處在年幼階段，或有孤立的傾向。

醫學專家以猴子做實驗發現，若是只餵以食物，並提供住處給一名剛出生的嬰猴，而不給予任何接觸或關懷，這名嬰猴會很快死亡。

張憶家表示：「人除了食、衣、住、行外，更需要愛及溫暖，而父母，是最能直接提供這兩種要素的人。」

在高中擔任美國歷史教師的吳寶雲表示，剛從台灣來美國唸書的學生，開始時都很規矩，也很尊師重道，但是很容易受校園風氣的影響，行為態度轉變很大。

吳寶雲說：「許多家長在美國跟我談過，不曉得如何應付孩子突來的轉變。從內向、保守變得開放、喜歡翹課。」

她表示，很多來美國三、四年以上的學生，語言上沒有太大的困難，但是在角色認同上，產生了危機。

這些學生穿著新潮、頭髮梳成「龐克」，甚或染色，動作舉止活像個美國搖滾樂歌手。

吳寶雲認為，這些學生藉著外表的模仿，希望自己也被看成美國人，讓自己被其他學生接受。

她說：「父母在身邊的孩子，都有強烈心理及認同上的問題，父母不在身邊的孩子，情形之嚴重就更不用說了。」

一九八五年三月十六日

異域迷失的小龍人

「媽媽，班上那個黑人打我，他要我每天幫他背書包，拿東西。」這名初二的華裔學童淚如雨下，向母親哭訴著。

母親撫摸著孩子受傷的額頭，也是淚流滿面，她告訴孩子要堅強、要忍耐，「等我們居留權一辦好，問題便都解決了。」這名學童的父親在台灣，由母親以觀光名義將孩子帶至美國。來美後，母親言語不通，在「同胞」的安排下，拿出三萬美金準備投資辦綠卡，但是律師表示移民局沒有批准，但在申訴中。

事實上，想辦成綠卡的希望微乎其微，這名母親處在進退兩難中。

一名高二華裔學生來美國四年，他說：「我很想念在台灣的朋友及親戚。也很想回去看他們，但是居留權尚未拿到，我只好繼續留在美國。」

他說：「在美國唸書比台灣輕鬆多了，下午兩點半下課，老師又很少給作業，一下課我便和朋友開車兜風、逛街，晚上去跳舞或泡館子。剛來美國時，有點不適應，甚至有點害怕，現在路都熟了，也交了朋友，比較沒問題了。」這個髮式新奇的華裔學生，似乎屬於比較能適應型的。

事實不然，通常進中學唸書，上的英文課是基本的「英文為第二語言」課程（English as a Second Language, 簡稱ESL），兩年後，由英文教師鑑定，若被認可，可以進入正規班學習，但是這名學生一直在ESL班上，換句話說，英文並未真正的進步。

「我很少有機會跟美國學生說話，除了上體育課。」他表示，平常一起出入上課的同學多半會說中文，互相「罩」一下，並沒有問題。

「罩」代表缺課時，由同學代父母簽字等等。

另一名原來在學校中，學業成績在前十名的孩子，因為參加不良幫派，成績直線下降，人也跟著墮落。

「我不好意思拒絕這些朋友，他們沒有車子，要我開車帶他們四處參加活動。我在這裡，開始時沒有知心朋友，他們對我很好，請我看電影、吃飯，我跟他們在一起很刺激，並且有種歸屬感。」

他說：「我當然體恤父母的辛勞，他們花那麼多錢把我送來美國，當然希望我能好好讀書，能上UCLA（洛杉磯加大）或其他好學校，但是他們並不明白，上好學校簡直不太可能。」

據了解，外國學生第一年來美國上課，讀的是ESL初級班課程，第二年是中級班（Intermediate）第三年是高級班（Advanced），第四年才是正規英文班。現在加州大學制度開始提高學生入學標準，凡是想進加州大學，必須有四年正規的英文課程。換句話說，從國內來美國唸書的孩子，想進好學校的希望十分渺茫。

據一名華裔英文教師表示，學校中的輔導員（Counsellor）多半只說英文，一些剛來美的學生不能用英文表達自己的意思，有了問題根本找不到人解決。有些孩子雖然和父母同在美國，都會有強烈的挫折感，更何況父母不在身邊的孩子。

一名與姊姊及叔叔家四個孩子住在一起的女生表示，她的父母及叔叔、嬸嬸都在台灣，每兩三個月輪流來看他們。

「因為我爸媽想把哥哥送來美國唸書，我和姊姊也就跟著出來了。」這名女孩子的哥哥已經快到服兵役年齡，姊姊今年十四歲，她自己十二歲，讀小學六年級。

「我們六個人住在一起輪流做飯，早飯、晚飯一起吃，中飯都在學校吃。」

「我很想爸媽，有時媽媽會來陪我們住一個暑假，但是她一要回去，我們又抱著哭。」

一名學校老師驚訝的發現，很多學生的監護人都是十九歲的大姊姊或大哥哥，學生一旦有比曠課嚴重的意外，監護人的責任實在不是十九歲孩子所能負擔得起！

例如一對姊妹住在**Brightwood**的一棟公寓裡，白天上課，早餐、中餐在鄰居家吃，晚上兩個人單獨睡在屋裡。姊姊雖然已成年，但是晚上入眠卻十分不安。

「我每天上床前都要檢查門窗。雖然我告訴妹妹沒有問題，但我仍然希望爸媽能與我們在一起。」

有很多正值青春期的女孩子，在國內清湯掛麵，一到美國，便學起穿耳洞、化粧，注重穿著，甚至有些在同一個監護人下的男孩、女孩，彼此好奇，會發生「親密的關係」。這些孩子沒有父母在身邊，沒有人開導，他們對自己的行為甚至自認是「合乎潮流，每個人都這樣子，沒什麼了不起」。

據學校一名老師說，有些女孩不願意來上課，是因為「情緒不好」，與「男朋友」鬧意見。而這些孩子卻都只有十三、四歲。最糟的是父母不在身邊的孩子，一到自由的環境，便完完全全迷失。

當然，並非每一個父母不在身邊的孩子都是墮落或成績不好的，例如有一對兄弟，兩人在學校都名列前茅，他們認為父母親在台灣努力賺錢，供他們在此唸書，應該對父母有個交代。

但是很多父母都不了解孩子的需要或是美國學校的制度，常認為，「只要孩子好好唸書便夠了」。他們認為，把孩子送到美國唸書，算是盡了最大的努力，而把所有希望寄託到孩子身上。

但是美國教育制度彈性大，學校並不完全鼓勵學生進大學，例如職業教育輔導，學生可以利用電腦尋找各種資料，以便找到工作。此外，上課沒有固定形式，老師並不代表權威、教學方式不同等等，都影響學生學習情緒。

有些全家移民來美的家庭，父母親就算是在身邊，也有語言、文化適應等問題，也都在摸索階段，要孩子單獨留在美國孤軍奮鬥，是否太過殘忍了些？

一九八五年三月十五日

小留學生作弊——也是「入境隨俗」

儘管加州各高中學校訂有考試作弊懲戒條例，根據加州教育廳一項資料，四分之三的高中生在匿名問卷中承認有考試作弊行為，目的是為了取得高分，在此間就讀的大批小留學生在耳濡目染下也難以避免「同流合汙」，據華裔學生反應，考試作弊在校已成了潮流，見怪不怪，反倒是不作弊而使考試成績低落才是跟自己過不去。

全班性的考試作弊並非是少見的現象，據一位來美四年，十二年級的李姓學生說，此地考試作弊已是家常便飯，老師多半睜隻眼、閉隻眼，助長學生作弊心理，他表示，剛來時膽子小，不知道學校情況，因此不敢作弊，現在待久了，看得也多了，覺得作弊無傷大雅。

才來美國一年的何姓女生過去在台灣唸書時是好學校的好學生，從未作弊，但是來美國唸書後，很快便學會「作弊不被逮到」的竅門，其中作弊方法包括帶小抄、把答案抄在桌上、做暗號、看隔壁學生答案、打派司等。她說，班上大部分學生都作弊，為了「公平」起見，她也以作弊取得高分。

另一位夏姓學生說，十次考試，他有九次作弊，因為作弊可以省去許多讀書、背書的時間，不需要辛辛苦苦啃書，結果成績還不一定理想。

九年級的李建緯來美四年，讀此間聖蓋博高中，他說自己是班上二十多個學生中唯一不作弊的學生，「作弊太冒險了，萬一被逮到，不但在同學面前沒面子，對自己的實力也毫無用處。」

很多來自台灣的學生反映，在美國唸書非常輕鬆，沒有壓力下，根本不想唸書。因此每天混日子，不曉得自己到底學到多少。儘管如此，大部分學生們仍不願再回台灣就讀，認為不可能跟上台灣學生的進度。九年級的周姓學生：「在台灣有很多奇怪的處罰方式，玻璃擦不乾淨或上課遲到都可能挨打，上課若跟不上也被逼著唸，太辛苦了！」

李建緯回憶過去在台灣唸書，自己是班上數一數二的學生，有一次他數學考了九十九分，老師還責備他粗心大意，但對考六十幾分的學生卻沒有任何責罵。他認為在台灣唸書壓力太重。

任美國史及中文課程老師的吳寶雲，並不認為每個學生都會作弊，她表示自己一向監考嚴格，因為老師付出心血去教學生，學生應以最誠實的態度回饋自己學到的內容。

吳寶雲說，她抓到學生作弊，若有證據則報告訓導處，訓導處會加以處理。她表示，要防止學生作弊，精神訓話往往效果不彰，只有靠每一位老師嚴格監考才能收效。

聖蓋博高中訓導主任史蒂夫．孔斐爾（Stevea Cornfield）有些無可奈何地說，似乎學生作弊的現象一直存在，也被接納。有些教師不願意做「壞人」（Bad Guys），因此也不積極去制止學生違規的行為。

「我過去自己做過老師，一向重視學生作弊問題，我認為一名老師有義務教導學生守法的觀念，也應嚴格地執行規定，學生在校考試作弊頻繁，未來可能影響一生做人處事的態度。」孔斐爾說，某些老師的作法無法讓人贊同，因為到頭來，受害者還是學生本身。

孔斐爾認為，作弊的學生越早被抓到越「幸運」，因為他們有機會從錯誤中去學習正確的做事方法，反倒是常作弊而未被抓到的學生，學到投機取巧的「好處」，但從不知道自己的實力或感覺不出「一分耕耘，一分收穫」的滋味及重要性。

根據聖蓋博高中的訓導規定，第一次作弊該科拿零分，學生家長會收到通知，學生當天不准上課。第二次違規，學生兩個月不得參加任何課外活動，成績單上有長期壞紀錄，一年內若有兩次作弊紀錄不能申請成為學校榮譽會員。

在此間就讀的華裔學生儘管有不少認為有自信作弊技術高超，不至於被發現，但也有不少人擔心被抓到的後果，大部分學生說，只要功課不太多或唸不完，他們多多少少仍然希望能誠實，安心地通過考試。

一九八六年四月二十日

「隔洋夫妻」的悲哀

——小留學生問題外一章

在洛杉磯地區的小留學生，人數居全美之冠，除了寄養在親戚朋友家的孩子外，有些「較幸運」的孩子還有媽媽陪伴，父親則因事業在台，偶爾兩、三個月或半年會往返美國「探親」一次。

近年來，報章雜誌及此間的社會團體對小留學生的問題產生無比的關注及一連串的探討，但對於身負重任，在此地照顧子女生活及教育的媽媽們，卻少有人了解她們所背負的沈重壓力及心理負擔，並不亞於小留學生。

在「內在美」——內子在美國越來越多的情形下，此間的心理學專家及社會工作者發現，分開過久的家庭，不但容易造成夫妻感情破裂，孩子也會缺乏安全感。專家們提醒為人父母者，要送子女赴美讀書，一定要有周詳的計畫，不可以抱著「送去再說」的心理，特別是夫妻之間更要有默契及協調，防止感情上的變化及事後的無奈和傷痛。

美國施行的新移民法，不利一些利用貿易及觀光簽證來美的人士。有部分在此地已入學的小留學生，在變更成為永久居留身分時，已產生阻礙。一位單獨照顧三名子女的陳太太便表示，她在強烈的精神壓力下很想帶孩子回台，但孩子已適應此間的生活，又恐懼台灣的升學壓力，不肯回去。在進退兩難下，她常要服安眠藥才能入睡。

據說，服鎮定劑過日子的媽媽還不在少數，特別是因陪子女在此間入學，而知道先生有了外遇的，更是苦不堪言、悔不當初。

一位四十出頭的女士表示，她三年前奉先生之命攜帶兩名子女來美升學，沒想到前腳剛踏出，後面便跟進了一名女人。她的先生長得十分英俊，又有一份受人尊敬的職業，但因為英語隔閡及對環境不熟悉，也沒在美國受過教育，要把工作搬來美國做，實際上有困難。「在台灣，男孩子過了服役年齡，就別想出來，我們也盲目跟著別人出來，根本沒想到會有許多問題產生。我的先生很有女人緣，但我是他的初戀情人，怎麼也想不到他會變心，特別是我們已有兩個聰明可愛的孩子。」

心理學家張憶家說，現代的風俗習慣及道德觀念和以前已有很大的轉變，特別是離婚率增高的現代社會，耳濡目染下，有多少男子能成為現代柳下惠——「坐懷不亂」？

「再者，現代人的觀念也改變，儘管知道對方有妻室兒女，仍然勇往直前的人似乎並不少見。」張憶家說，很多夫妻共處一室的家庭都沒法避免外遇，何況是分離兩地的夫妻。

「夫妻關係的維持，雙方必須信守婚前的盟誓，無論處境如何，都要同舟共濟。」張憶家強調，特別是現代社會及隔著太平洋的夫妻，要更緊密地相互默契並擬定具體合理的家庭計畫。

「隔洋夫妻」不容易長期維持的因素很多，其中有些人是因為在美單獨照顧及教育子女，心理及觀念上也受了「西化」的影響，發現與丈夫的觀念開始產生差距。「夫妻不能共同成長，在同一個環境學習及奮鬥，會缺乏被需要感。」張憶家指出，假使長期下來，雙方在「心理上獨立」，能應付自己的問題，又那裡會覺得對方存在的重要性。

一位小留學生母親說：「我開始帶孩子來美國時，每次與先生通長途電話都會難過得哭個不停。但長期下來，遠水救不了近火，孩子有問題，我必須自行替他們解決。」母代父職，為了充實孩子的「安全感」，不少媽媽強忍住自己所受的委屈，外表格外堅強，白天告訴孩子：「不要怕，媽媽在這裡，有問題我幫你解決。」夜深人靜時，心中卻有說不完的苦楚，暗自掉淚。總希望孩子發生困難時，有丈夫陪在身邊，共商大計。

張憶家強調，維繫夫妻感情的重要因素之一是「立即支援」的時效性，當對方或孩子有情緒上或身體上的不適及變化時，兩人可以交替承擔，並相互慰藉。

一位太太說：「我先生幾個月才來美國一次，長期不見面，反而變得無話可說，也不知從何說起，親密的感覺因時空的關係沖淡很多。」

儘管有些小留學生媽媽對丈夫的依賴感已在減低中，但也有不少人有著共同的心願：「等孩子上了大學，獨立後，要回台灣與老伴團聚。」

有一位太太來美七年，最小的孩子再過一年便進大學，她感嘆地說，「八年抗戰」終於要結束，也盡了做母親的義務，孩子大了有自己的前途打算，自己想想還有老公可以作伴。

在南加地區，有許多家庭先生兩地跑，太太逢暑假也「組團」回台，不少婦女抱怨：「怎麼住還是台灣好，吃住便宜又方便，若不是為了子女教育，我們大可不必如此犧牲。」

沈太太剛來美半句英語也不懂，她帶著字典上超級市場買菜，帶字典與老師交談，她常常要對方從字典內找出一個單字，表達意義後，她再回去找字典寫在紙上與別人溝通。

「剛來前幾年真辛苦，但仍咬牙苦撐，誰叫我自作自受。」這位單身母親還為了家中房舍的安全，自己鋸掉三棵大樹，「時勢造英雄」，沈太太笑道：「沒有特殊狀況刺激，還真不曉得女人潛力。」

談到「犧牲」，很多是要接受陌生環境的磨鍊，但是對許多堅強的媽媽來說，再苦也熬過來了，本身的毅力，畢竟也能突破任何困難。

一位在台灣家中有佣人，出門也有司機幫忙開車的沈媽媽，四年前也勇敢地帶著三名幼小的孩子來美打天下，剛到的第三天，車子就被塗上油漆寫著：「滾回你們柬埔寨難民區！」有半年的時間，沈媽媽晚間不敢出門，更不敢跟鄰居打招呼。有相當長的一段時間，她們被鄰居誤認是中南半島搬來的難民，也飽受歧視的眼光。

「我真的不曉得自己怎麼熬過來的。」住在杭廷頓的沈太太回憶剛來美時，最小的兒子不到三歲，帶他去學游泳，由於當時不懂老美訓練小孩游泳方法，看到孩子在池中「吃水」大哭時，自己也急著在池邊哭了起來，弄得尷尬異常。

她記得，當時她那三歲的孩子不會說英語，害怕被送去托兒所，老是要媽媽陪。為了使孩子安心，她一直坐在車上，等孩子下課。她囑咐孩子：「媽媽會一直在外面車上等你，有事情就出來找媽媽。」

以前在台灣看到蟑螂就會跑的張太太，現在為了照顧子女，也敢主動抓老鼠、除草、到學校與老師理論，平常省吃儉用，不像在台灣花幾千元買一件花裙子，現在買一件二十元美金的襯衫都要考慮大半天。

提供子女來美唸書的家庭開銷也很重，例如有兩、三個子女的家庭，每個月光是付房子的分期付款或租金，就要一千元上下，再加上孩子的補習費、生活費等，最節儉的開銷也在三千五百元至四千元左右。

「為了加強孩子的英文，我每小時花十元請家教，三個孩子還請鋼琴老師。」住在亞凱迪亞的丁太太說，有些家教的費用比較貴，一小時十五元至二十元不等，平均一個月一個小孩的補習費最少要兩百元。

丁太太指出，小留學生的媽媽大部分是靠先生從台灣寄生活費來，也有人替別家看孩子或推銷化粧品來維持龐大開銷。

對於隻身在美照顧子女的母親，特別是孩子已經十五、六歲的母親，常在子女「西化」步伐過快下，覺得無所適從。若子女不幸「結黨結派」或逃學逃家，那麼，所有的心血都將付諸東流。據了解，有一位小留學生媽媽，因為自己的婚姻已無可挽回，對男女間的情感喪失了信心，當女兒告訴她：「我將來只想同居，不想結婚」時，她實在想不出如何「以身作則」。

在洛杉磯地區某成人學校，有百分之九十學英語的學生都是來自台灣的「單身媽媽」，她們固然是為了適應環境學英文，也是為了找人談心，紓解煩悶而來。這些媽媽常有機會一起吃飯、聊天，有時講到傷心處，還哭成一團。

心理學家張憶家指出，在此地單獨照顧子女的婦女，有必要找一個「支持團體」，有類似背景的人，相互交換意見，都可以減輕內心的負擔。

「女人的韌性是很強的，若已成了『過河卒子』，必須獨立自主時，也要拿出勇氣，安排自己的新生活。」張憶家說，吃安眠藥或哭腫雙眼都於事無補，特別是碰到婚姻觸礁或對管教子女無所適從的婦女，應該找心理專家協助，以突破心理上的死胡同。

「在中國社會，女人的地位目前仍次於男人，女人的能力及潛力常被埋沒，也有不少女人相信自己無能，認為一生一定要依靠丈夫或男人過日子。」張憶家表示，女人的能力可以被激發出來，大可不必悲觀，「風雨生信心」，她相信經過適當的輔導再加上自立自強，任何女人都可獨立自主。

北一女校歌中有一句：「齊家報國一肩雙挑」，有一位北一女校友笑稱：「要一肩雙挑實在太苦，就怕挑得連丈夫都不見了！」

張憶家表示，她絕不鼓勵因子女教育而拆散家庭，更擔心父母不在身邊的小留學生。「家庭的不協調會造成很多社會問題，家庭成員若短暫的分開，若當事人有周密的計畫，還不至於引發後遺症。」張憶家說：「我只擔心，孩子若成為幫派分子，白刀子進紅刀子出，造成許多不可彌補的悲劇時，一切就太晚了！」

張憶家說，有心維護家庭關係的夫妻，若人隔兩地，應時常通信、通電話或往返兩地，但這些都只是「亡羊補牢」的方法。她建議此地的「單身媽媽」，未必非要抱持「破釜沉舟」的決心不可。一旦發現了現實與理想距離太遠，不妨收拾行囊，不要再留戀此地，更不可擔心面子上掛不住。最重要的，是自己要活得快樂，有尊嚴。

當然，「單身媽媽」們也並非人人「運氣不佳」，也有的媽媽很成功地把子女管教成為學校中的優等生，在「苦盡甘來」之餘，她們毫不後悔。但不論如何，每個人都有相同的感慨：「做單身媽媽真不容易啊！」

一九八七年六月一日

虎毒不食子？

——十四歲少女被虐遺棄的故事

「我母親平常只用杯子砸我、用鐵絲抽打我，但這次我跟她吵得太兇，她把我關在房裡，甚至將菜刀砍在門板上，我從來沒看過她的雙眼露出兇光那麼嚇人，我知道她要幹什麼，我使盡全身力量衝出大門，跳牆翻了出去。」

一個沒有家庭溫暖，並飽受虐待的十四歲華裔女孩，一九八四年底在逃離家後，被幾個美籍婦女在街上發現，帶回家中。在警察找來翻譯人員問完話後，這個在街頭遊蕩多時的女孩，被送進洛杉磯唯一收養受虐、忽略及遺棄兒童的臨時收容所——麥克勞倫兒童中心（**Maclaren Children's Center**）。

麥克勞倫中心內約有三百名孩童，多半受過嚴重虐待，在寄養之家（Boster home）領養之前，暫時在中心內吃、住，並接受身體健康檢查。

這名不諳英文的女孩，在麥克勞倫中心沒有說話對象，更無法結交朋友。加上父母從未出過法庭，也沒來看過她，頓時覺得孤寂難耐，沒有生存的意義，她嚐試用餐刀割腕及撞牆的方式自殺過兩次，皆被工作人員發現制止。

之後，她在床頭上寫著：「我該怎麼辦？死對我來說是一種新奇，對現實卻是可怕，但可以解脫痛苦，或許我該再嘗試。」

這個希望「解脫痛苦」的未成年少女，原本是個活潑可愛的女孩，雖然面目清秀可人，卻絲毫得不到父母的欣賞及疼愛。在美國出生沒多久，即被送到台灣進入孤兒院。這名有父母的孩子不合「孤兒院」收容條件，遂與爺爺奶奶住在一起，七歲時再由爺爺奶奶交還在美國的父母。

她捲起袖子，出示被烟頭燒傷所留下的痕跡，「這就是我來美後，母親留給我的紀念品。她生氣時，不讓我去上學，不給我飯吃，後來學校、警察發現了，母親又把我送回台灣。」

像一只破鞋子，這名女孩才到美國十個月，便又被「扔」回台灣。

「我在台灣被稱為問題學生，制服頭髮從不合格，爺爺奶奶不買制服給我，只好都穿同學的。」

「有時晚上做功課，他們為了省電，不准我開燈，平常又要做許多家事。我成績一直不好，常常考鴨蛋，爺爺奶奶不肯替我請家教，功課不好，乾脆不看也不做，初一下學期我乾脆連書包都懶得帶了。老師罵我，我頂嘴；打我，我就跟他打架，我一直在寫悔過書、罰跪、挨打。初一被記一個大過、兩個小過、十二個違規。很多老師說我是壞孩子。」

這個在大人眼中是個充滿問題的「問題學生」，在她十四年生命中，雖然「功課不好」、「不愛讀書」、「喜歡頂嘴」，但是她從未想去抽烟、喝酒、吸毒或做些更為自暴自棄的事。

父母親的冷血無情，雖然難以引發她上進的熱力，但是每一天每一分每一秒，她仍然乞求父母能再給她愛、給她一絲溫暖，那怕只有一點點。

一九八四年八月，她二度被「物歸原主」，交還給在美國的親生母親負責撫養。很不幸，幾番努力表現，總是無法感動母親或喚起母愛。她不瞭解，為何不能像鄰居家的孩子一樣，受到爸媽百般疼愛及照顧？

據麥克勞倫中心一名主管級人士指出，這個孩子的父母重男輕女，原希望生下一名男嬰，並在事前取好一個男性化的名字。在失望之餘，又發現孩子生下後有健康顧慮，遂不願意留在身邊照顧。

被警方送入麥克勞倫中心後，這名女孩曾在一名社會工作者的安排下，被送到一個白人寄養家庭。但因文化差異、生活習慣不同，及語言上的距離，使得這名女孩仍然難以感受家的溫暖。

「我覺得沒有人可以傾訴，精神上也很痛苦，覺得活得很沒意思，沒有目的。」於是她在失望迷惘之餘，將一瓶洗髮精灌進空洞的胃裡，當天被其他孩子發現急救送醫，出院後又再度被送入麥克勞倫收養中心。

「一年多來，我每晚都在半睡眠狀態，常夢見自己自殺，我覺得在這個世界上好像是多餘的，沒有人會喜歡我、關心我。我從來沒有嚐過愛的滋味，人家說中國人母愛最偉大，我只覺得噁心。」

「假如世界上真有神的話，為什麼不都創造好人？為什麼又要多事地創造我？」

不過，這名華裔女孩在一連串疑問及痛苦消極經歷後，仍然有一份積極的心，她熱切地盼望著說：「假如我有機會被人收養，我希望能學得一技之長，或許我可以養活自己，不再依靠別人。」

一九八五年三月廿九日

採訪外記

十四歲少女受虐的新聞上報後，來自紐約、休士頓、舊金山、洛杉磯地區讀者來信如雪片湧至，許多華人同胞伸出援手，令人感動。

之後，又連續有七篇關於麥克勞倫兒童受虐中心的黑幕在《世界日報》刊出，該中心將報導翻譯成英文，並將記者列為不受歡迎人物。不過由於篇篇報導屬實，他們並未採取任何抗議行動。

被父母虐待的十四歲女孩，曾經換過幾次社會工作者，有一名華裔社工人員因威脅該女孩，經報紙一登，被中心撤職。另一名華裔工作者也因為記者批評其做法不當，老羞成怒，禁止該女孩與外界接觸，並使用各種方式，斷絕記者與該女孩的聯繫。

這些社工人員並向該女孩「洗腦」，稱受到報界的利用，報上一刊出其新聞，將來會使她難以做人云云，由於該女孩受到嚴格監管，她本人也相信社工人員的說法，之後未再聽到她的消息。

由於她未成年，報導中並未刊出其姓名，記得去麥克勞倫中心看訪她時，她在牆上塗滿著中文：「死！死！死！」並數度表示生命沒有意義，想自殺解脫，因此將她的故事發表，引起讀者共鳴，只有對她好。但也深深感覺，人的生命中缺乏父母的愛與關懷，人格會受到扭曲，再用幾十倍的外在力量，也難以挽回內心的創痛！

自從記者報導一名十四歲華裔少女被父母虐待及遺棄的遭遇後，有些家庭希望能收養這位女孩，有些同齡的女孩，則希望能跟她做朋友，更有些自稱「沒有足夠經濟能力收養她」的讀者，則將手錶及其他物品，送給這位不幸的少女。

讀者的關心及熱情，深深地感動了這位十四歲少女，捧著來信，一字字地細讀過後，她紅著雙眼，嗚咽地說：「我原以為人世間只有醜惡、欺騙、冷漠，沒想到竟還有那麼多人關心我，願意和我交朋友或做我的養父母，我真不曉得如何報答他們。」

她表示，一生中從未有過類似的溫暖及快樂，大家對她的關懷及愛心，會匯聚成一股上進的力量，讓她不再去想「死」的問題，她要做一個有用的人。

從短時間內接到的來信及電話，證明在海外的華人，充分具有人情味及愛心。

以下是一些讀者來信摘要：

「看了報上登載有關一名女孩的不幸遭遇，對她表示十分的同情，我雖然自認沒有資格領養她，但是願意向這位女孩表示我的愛心，並希望她不要失望，一定會有更多有愛心的人來關心她，並期望她力求上進，前途一定是美好而光明的。」

這位署名「不相識而愛您的人」同時寫了一封信給「遭遇不幸的女孩」：

「看了報上登載您的遭遇，深表同情，請不要失望，不要絕望，在這個世界上，還有更多具有善心、愛心的人。生活對您固然太不公平，但您會有一個美好的將來！努力吧！讓那些輕視您的人，有一天明白過來，他們遺棄的，乃是一顆閃閃發光的珍珠！」

一位有四個大孩子的祖母級母親來信：

「我有用不完的愛給這個小女孩，我有的是時間去教育指導她，去當孫女一樣的愛她。我希望能再收養一位小妹妹，她們缺少的愛護，我有太多，我自己的孩子都已長大離開我。我們的房子是特大的，也有後園，相信可以提供一個良好的住所。我們生平沒有其他愛好，不煙不酒不賭，只是喜愛小孩，也不喜愛貓、狗，怕蟲。」

一名二十歲，來自台灣的女孩子在信上說：「我和她同樣是從台灣來的，也都在此遭受過大小不同的挫折，忍不住對她產生無比的關懷。也許我沒有能力給予她一個溫暖的棲息地，但我可以在有空時，如放假日，帶她出去玩，或參加一些活動，並認識些我的朋友。」

另一位希望能收養女孩的人士寫道：

「茲閱三月廿九日《世界日報》第三頁內登：『這個被虐待、遺棄的中國女孩，希望有一個華人家庭收養她。』同情之心油然而生。我倆夫婦年事雖老，幸好還有體魄，是幾年前由越南避難到美國定居的華人—原籍廣東潮州人，身邊有四男和一十五歲的最小幼女。我們現居加州聖荷西市，希望能撫養她。」

一名住在紐約的十五歲少女來信：

「我有一個美好的家庭，但是我們並沒有足夠的經濟能力再收養一個小孩。我無法給她親情，但是我自信可以給她足夠友誼。我可能沒有辦法真的為她做什麼，可是我可以付出一切友情，讓她覺得在這世上，她並不孤單，仍然有人關愛她。我來自台灣台北，今年九年級，我希望能給她一份最純真的友情。我不願意看見一位原本可以有美好前途的女孩，在絕望中，又生活在自卑的影子下。」

一名同年齡「同病相憐」的女孩寫信說：

「從報上得知妳的遭遇，我和舊金山的朋友都十分同情、關心妳。雖然彼此間，我們並不認識，可是我瞭解妳的心情，因為當初我的父母打我，被人發現，我也曾到過那些地方。雖然在外不會受到壓迫，可是語言、文化各種環境因素，心裡會覺得很苦，但是很幸運，我已回到家中，我相信，加州有那麼多華僑，同樣是出門在外的人，他們知道妳的遭遇，不會把妳棄之於不顧的，也請妳不要把這世界看得太醜惡，人間處處有溫情，希望妳早日得到幸福。我希望能與妳做筆友，並定時寫信給妳。」

當心孩子安全

——從白人殺害華裔女童談起

自從在一九八六年底採訪台灣七歲女童賀惠如被綁架殺害的新聞後，在街上看到單獨行走的小孩，都會心驚肉跳，感慨：他們的父母太大意了，美國的生活空間寬敞舒適，卻不是想像中那麼安全！

記得看過一部叫〈亞當〉（Adam）的電影，亞當和媽媽一道至百貨公司購物，小孩看到電動玩具便不想走開，這位粗心的媽媽說：「你在這裡不要亂跑，我去看一下枱燈馬上回來！」誰知道，歹徒就趁這個分離空檔把小孩騙走。雖然亞當在十幾年後又被尋回，但他的父母在那期間所受的煎熬及尋訪過程是多麼痛苦、無助，而夫妻之間相互責怪更加速

賀惠如小妹妹失蹤後，父母親拿著她的相片及警察局印行的傳單，希望知道其女下落的民衆，好心將她送回。
尋找女兒期間，賀氏夫婦内心所受的煎熬及疼痛該有多深！爲人父母者，從他們身上，可以學到什麼呢？

和賀惠如做了四年多鄰居的美國小男孩泰瑞．知道玩伴被殺之後．整個人像生病一樣．整個慘案在他的童年記憶留下夢魘．小小的泰瑞．已對這個世界產生畏懼。

了家庭的破裂。

賀惠如於一九八六年十二月十一日上午八時多，自己步行至離家七、八分鐘的學校途中，被心理不正常的白人歹徒用小型旅行車綁架，一星期後，屍體在南加州河濱縣（Riverside）荒郊野外被發現，驗屍官並斷定有被姦殺的現象。在一年前，同一地點也有一名十歲女童被殺害棄屍！

賀惠如的母親陳秀鑾曾說：「我們住的地區居民很單純，十年來沒聽過孩子失蹤。」這種事不是常態，但一發生就相當可怕，任何補救都太遲了！

她的父親賀耀光在女兒失蹤當天上午十一時去買貨，準備過聖誕節，一直到下午五點發現女兒沒回家，打電話到學校，才驚嚇發現：女兒未到校上課！

賀惠如一家在慘案發生前三年才移民來美，他們在跳蚤市場擺地攤做生意，來美無非是讓孩子能有一個良好的生活及教育環境，萬萬想不到會有這種禍事臨頭。

記得好幾個晚上，守在賀家的大門口等消息，當時坐在車上，窗外刮風、一片漆黑，腦袋裡一直湧現賀惠如被綁的過程及可能受到歹徒折磨的景像，越想越害怕，越替這個無辜的小女孩擔心，她的父母當時該有多少痛苦感受！

根據資料，美國每年失蹤的兒童多達一百五十萬名，除了逃家、被父母拋棄、被單親父母綁架等「假失踪」外，真正被陌生人綁架的小孩介於四千至兩萬名間，很多孩子被謀殺、凌辱，有些則被帶走做「養子」、「養女」。

賀惠如的不幸遭遇，希望能警惕天下父母。

採訪外記

菲比（賀惠如英文名）的失蹤，金髮藍眼、十一歲的美國男孩Trey是最難過的人之一。他住在菲比隔壁，是她最好的玩伴，當天他知道菲比不見，可能發生意外後，禁不住哭了一個晚上，也食不下嚥，第二天無法到校上課。

「菲比個子很小、很乖，但有時是個搗蛋鬼，她有時很聰明，有時很煩人，有時人又很好。」Trey這樣形容賀惠如。Trey說他家後院有一棵大樹，父親幫他在樹上蓋了一間小房，他常常和菲比及戴蒙（賀惠如的哥哥）一起爬樹，但菲比太小，爬不上去，每次都被留在樹下。

七歲的賀惠如是十二歲哥哥及Trey的「小跟班」，當他們三人在一起玩時，據Trey說，菲比和哥哥常用一半英文、一半中文交談。為了瞭解他們在說什麼，Trey向菲比學了一些中文。像「大豬」、「閉嘴」及「走開」。

Trey的父母親尼爾森夫婦對賀惠如的失蹤震驚非常，尼爾森太太說她認識賀惠如時，賀惠如只有三歲，從小看她長大，就像是自己的孩子。她說賀惠如大體說來是個害羞的孩子，不願和陌生人說話或到陌生的地方，因此她的失蹤更顯奇怪。

尼爾森夫婦說，賀耀光夫妻工作十分勤奮，週六、週日一大早四點總帶著大女兒及兒子到跳蚤市場做生意。「目前他們因女兒失蹤無法繼續做生意，生活有了問題。我想他們需要一些經濟上的援助。」

這對美國夫婦每天總要多次到賀家問候，並幫忙遞送照片至印刷廠印傳單，還帶著兒子散發傳單。凡是能為他們鄰居做的事，尼爾森夫婦不論多晚，多辛苦都熱心奔走。在他們自用汽車上都貼著尋找賀惠如的傳單。

「菲比最愛我們家中的小狗及小貓，是個善良可愛的孩子，我們希望她在聖誕節前回到我們身邊。」尼爾森夫婦說。

一九八六年十二月十五日《世界日報》

學非所用為綠卡

一名從台灣留學美國得到著名大學企管碩士學位的留學生，因畢業找不到工作，在洛杉磯某舞廳任bus boy（收碗盤者），後經由一名舞女介紹給大公司老闆，才有機會「施展抱負」。

在美國中西部唸了八年書的張姓留學生，為了避免「畢業即失業」，拖了三個學期遲遲不敢交出博士論文，每個月靠助教研究金維持最基本的生活。

一對頗有才氣，並在台灣小有名氣的作家夫妻，雙雙來美取得碩士學位後，轉行到「餐館業」，兩人「日出而作、日落而不息」地拚命工作賺錢，想在美國取得居留。

一位女留學生畢業後在美國的一家殯儀館工作，專替死者化粧換衣，在台灣的親人一直以為她在美國擁有一份「高薪」工作。

台灣來美留學的學生人數，早於前幾年便排名第一位。掌台灣財經大計的李國鼎在一九八五年十二月第三次科技會議中表示，旅外人才回國服務比例偏低，只佔百分之十一，並以文、法科為多。他還說旅居美國的科技人才在六萬之譜，應積極延攬海外人才。

雖然學成回國的人才並不多，但是留在美國的留學生是否都能學有所用，很順利地在美國就業市場大展鴻圖，卻是個很大的疑問。

在美國大學校園中，留學生們最熱門的話題，有不少與「畢業後在美國找工作」及「取得居留」有關。

儘管沒有確實的統計數字可以了解留學生在各行業到底有多少人能「學有所用」，然而留學生放棄學業，到餐廳「抓碼」、學做廚子，或是採用「拖延戰術」，碩士、博士、超博士不斷往上唸延長在美停留時間，並找居留機會等卻時有所聞。

在洛杉磯專辦移民案件的律師說，留學生常用兩種方法留在美國，一為靠親戚及結婚關係，二為由公司聘用。

且不論這種想留在美國的心態如何，留學生在美國就業情況似乎比以往更易遭到挫折，願意代辦居留者更微乎其微。

留學生畢業後，必須有公司聘用，才能辦理臨時工作許可（H-1）。公司若願留人，就以第三優先代辦居留。

所謂第三優先是給在美擁有學位，在各行各業的專才及在科學或藝術上有特殊才能者。從多位移民律師口中知道，辦理第三優先越來越困難，人數也在減低當中。移民局打回票的比例在百分之六十五以上。

北美移民法律服務中心馬彼得律師說，辦第三優先的案件，與國際貿易、電機工程設計有關，很多電腦人才本地已十分足夠，不需用外來人才，一般公司並不願意牽涉移民問題。

另一位移民律師說，工程系及物理治療者比較有公司支持，有企業管理學位的人除非對某一部門特別專精，最近幾年情況並不很好，不易辦第三優先。

第三優先既然越來越難辦，不少留學生就想其他辦法居留，例如在校園中流行「生美國小公民」或設法辦投資身分。

留學生一方面因為學生保險可以支付大部分生產費用，不少留學生夫婦在求學階段懷孕生孩子，期盼對居留有所幫助。另有一部分留學生則認為自己開業做生意也可以申請居留。

根據律師經驗，生孩子對留在美國並無實質幫助，孩子必須滿廿一歲才可替父母辦理居留。有些在美國居留七年以上，並有孩子在美國出生，也同樣被移民局驅逐出境。至於辦投資，也只是拖延在美停留期限，並不能直接辦居留。

在美國找到工作及辦居留雖然不是絕對的關係，但對為數不少、學習尖端科學的留學生卻有極大影響。例如學習核子工程，牽涉到國防工業時，幾乎每一個公司在專業雜誌聘用人才廣告上，都會寫明需要綠卡或公民身分，許多剛畢業、無身分的博士級學生根本「不得其門而入」，通不過安全檢查這一關。

留學生取得學位留校教書也是目前趨勢之一，但是大學願意替外國學生改變身分者也不多見。例如德州A&M州立大學必須要有校長直接同意書才能替外國學生改變身分，也有學校為了用低薪聘用留學生，願意延長H-1工作時間，但並不代辦綠卡。

H-1年限為三至五年，若不改變身分，只有出境一途或非法居留。

不只理、工、文、法科難求職業，連醫學院學生也遭到同樣問題。

在蒙市專做牙齒矯正的絲建江醫師便說，醫生想開業或工作必須領有醫師執照，考醫師執照必須有兩年實習經驗。有執照的人才能辦居留。

他說，越來越少醫院提供這種實習機會，很多醫學院學生等了四、五年才有機會實習，然後考執照、開業。也有學生願意不拿薪水到醫院工作，但也有醫院根本不收人。不過他指出，牙醫較例外，只要考過臨床前測驗（Pre-Clinical Test），便可以直接考醫師執照。

儘管就業市場不景氣，但是「戲法人人會變」，有不少移民律師會指點迷津，在拖延戰術及「求生本領」下，也有不少人終究找到工作及取得居留。只是這種時間、精神、金錢上的消耗或學非所用，是否值得就全看個人的生活哲學及價值觀了。

一九八六年二月二十日

第二部

觀洋人・洋人觀

「明朝與太空站」——老美出洋相

專門製造商用、軍用飛機及研究航空宇宙科學的美國洛克希公司（Lockheed），一九八八年底在美國十二家著名的全國性雜誌中刊登一則醒目的跨頁彩色廣告，標題是「明朝及太空站」（The Ming Dynasty and The Space Station），設計廣告的人雖然用心良苦，以古鑑今，但卻因對中國科技史的不了解，引喻錯誤，並且「文不對圖」，令人啼笑皆非。

這幅跨頁廣告文中的大意是：「中國在十五世紀初期是世界上最強盛的國家，在火藥、印刷、冶金術、工程、醫藥方面的發展，早已領先各國。一四〇五年及一四三三年間，中國的航運已朝西方發展及開發了貿易航線。一四三一年有六十二艘船及兩萬八千人在發現歐洲前已到達過東非。」

但是，文中又說：「因為明朝皇帝突然政策上的轉變，停止了航海上的繼續發展，並開始採取懼外的保守作風。科學及技術衰弱，對外貿易變為被動，使未來五個世紀的中國變成世界上被剝削的國家之一」。

廣告中想以明朝的封閉作風做為歷史教訓指出：「美國現在也面臨歷史關鍵性的時刻，許多在太空發展上民用及軍用需要的投資，比起其他，成為次要的考慮，整個太空計畫似乎未得到政策上的支持。但是有一點免不了的，人類會一直繼續探測太空，那是人類的本能，若美國人不去做，蘇聯人或歐洲人也會去進行。」

它在結論中指出：「若明朝皇帝在五百年前未走錯一步，歷史顯然便要重新改寫。但中國已失掉它的機會。美國是否注重在太空中的發展將決定自己未來五百年的命運，我們必須把握眼前的機會」。

這一則有趣的譬喻廣告，有兩個基本錯誤。第一，它所使用的圖片，是清朝的圖片，非明朝的圖片。裡面所畫的人物全是著清朝的服裝，地點是紫禁城。顯非「明朝盛世」。第二，中國科技走下坡的因素很多，明朝並不能做為代表時期。

聖地牙哥加州大學物理學教授及中國科技史專家程貞一（Joseph Chen）指出，中國科技發展在宋朝是鼎盛時期，但在元朝受到相當大的阻礙，元世祖死後，民間甚至不能私自擁有天文、計算等方面的書籍。

「元朝並未培養任何科技人才，到朱元璋推翻元朝，慢慢地才從日本、朝鮮回找宋朝的書籍來研究。」程教授說：「明朝在科技上可以說是痊癒期，但在科技上也無太大的發展，到了清朝統治期間同樣沒有進展。」

他表示，用明朝「閉關自守」，引起科技落後，使中國衰退的說法，是膚淺及不正確的。

根據查證，這幅廣告是洛克希公司交由洛杉磯McCann Erickson廣告公司製作，設計人是美國人拜瑞（Jeff Berry）及愛伯特（Al Abbott）。

拜瑞在接受記者訪問時說，他本人對中國歷史毫不了解，他所寫的廣告詞，靈感來自他於今年初所閱讀的兩本上市新書：《強權的興衰》（*Rise and Fall of the Great Power*）及《中國的天才》（*Genius of China*）。

拜瑞指出，他在讀這兩本書時驚訝中國的科技發展居然比歐美先進超出很多，特別是對明朝的航海技術感到印象深刻，因此他想到中國繼續發展下去，必定早已成為世界強國。「我當時想到美國也有類似的處境，可以作個比較。」

專門寫廣告辭的拜瑞說，他與同伴請了一位專門人才在日本、歐洲等地尋找與中國船隻有關的圖片，但沒有找到，卻在巴黎的國家圖書館找到目前廣告上的圖樣。「我覺得這一張可以顯示中國的盛世及官僚作風，因此決定使用這張圖片。」他還說：「我很喜歡這張照片，還考慮用它做聖誕卡片！」

洛克希公司所刊登的廣告從一九八八年十月份開始首次刊登在《時代雜誌》、《新聞週刊》、《商業週刊》、《經濟雜誌》、《華爾街日報》及許多與貿易有關的刊物上，並將再連刊數月。

一九八八年十二月十一日

採訪外記

能主動發現此廣告錯誤，寫出本文，覺得很得意。很多新聞都是隱藏性的，不去挖掘，便永遠不為人知。

亞當俱樂部

五點半左右，**Chippendales**夜間俱樂部入口處已排滿穿著入時的女性觀眾，一名未著上衣、身材健美，在頸項戴著黑領結的金髮男士一踏出門口，便引起女士們的尖叫及注視。他不急不徐，態度從容地清點著人數，這個洛杉磯最著名的男性脫衣舞秀俱樂部，傳說因觀眾逾量要暫時歇業後，更是場場爆滿，許多慕名而來觀秀的女士們被拒在外，還頗為憤怒及不滿。

這個只准女士進場的俱樂部坐落在靠近洛杉磯國際機場四〇五公路的**Overland**街道上。一進門便可看到舞池，舞池一面是玻璃，一面是吧台，另兩面有台階式的座位，大約可以容納一百五十至兩百名觀眾。著名的女星布魯克雪兒曾在此度過她的二十歲生日，電視脫

America's #1 Calendar
CHIPPENDALES

口秀主持唐那修（Donahue）也訪問過這些男性舞者。這個俱樂部的水準相當高，舞者受過嚴格的舞蹈訓練，主持人及侍者個個都是英俊高挺、素質整齊的小生，他們對進場的女性觀眾都小心翼翼、極有禮貌地侍候著。

Chippendales平日做夜總會的生意，週五、週六、週日晚上七點及九點各有兩場秀，看完秀後，場內的女性可邀男士進去跳舞，營業至清晨四點。

看秀的觀眾，一張門票是二十元，但想坐在舞池內看「比較清楚」者則加五元，據一名經理表示，頭次去看秀的人多半都靠遠坐，較有「安全感」，但識途老馬，不坐前面「則不過癮」。

一場秀長約一個半小時，有七、八位不同的舞者輪流上台，裝扮成警察、司機、空軍軍官、囚犯、搖滾樂明星等，有熱門音樂及特殊燈光效果下，以極優美的舞姿及戲劇性的演出，慢慢一件件地褪去身上的衣服，每鬆開一只鈕扣、撕開背心或拉下褲鍊，都會引起在場女士們的尖叫吶喊，有女孩子甚至在過度興奮下，撩起迷你裙，想「有樣學樣」，而遭到侍者的阻攔。

這些舞者並非只是做單純的脫衣秀，他們是精挑細選過的職業舞蹈家，有些是體育健將，會做空中翻滾、劈腿等困難的動作，由於舞蹈動作優美、身材健美高大，臉型俊美，他們十分討女性們的喜歡，許多觀眾都如醉如癡地順著旋律拍掌呼喊，表演時沒有一秒鐘冷場。

這些舞者並不會完全褪去所有的「保護層」，表演到最後還會留下一只小小的丁字褲，若隱若現，在主持人介紹過大名後，凡是想一親「芳澤」的女性，都會出一元鈔票在自己或女朋友頭上揮動，吸引舞者接近，在臉頰或唇上「蜻蜓點水」，有些較熱情的女孩子會張開兩手去擁抱舞者，來個熱吻，而有些年紀較大或擔心「衛生」的女性，只把錢塞給舞者，自動放棄「權利」。儘管反應不同，可以感覺得出，進場觀秀者都覺得稱心如意。

誠如節目主持人一開場便說：「親愛的女士們，讓妳們在今晚暫時忘掉先生、孩子、男朋友，讓我們共同度過Satisfaction Guaranty的夜晚，今晚，將讓妳們夢想（Fantasy）真正的實現！」

一九八八年七月二十日

採訪外記

「到過洛杉磯的女人，若沒看過Chippendales的秀，簡直白活了！」在同行識途老馬大力推薦下，一日我約了兩名好友壯膽，決定開車到聞名國際的「亞當俱樂部」一探究竟。

我們買票進場後，三人先心照不宣挑了一個離跳舞池最遠的地方坐，但又覺無法值回票價，又往前挪了兩排位子。

其中一名單身女友建議，乾脆坐到舞池內，來個「今夜不設防」，我和另一位女友則認為要為自己「留退路」，否決了她的提案。

場內清一色女觀眾，有白、黑、黃各種膚色，但每碰到精彩片段，在主持人煽動下，不管是年輕的、上了年紀的、白妞、黑妞或黃妞，無不興奮高喊：「Take it off！」（脫掉它）。

欣賞完一個半小時的成人秀，A女友說：「哇塞，不是蓋的！」B說：「怪怪嚨叮咚！」我則職業病作祟，寫了新聞「獨樂不如眾樂」。看場有水準的脫衣秀，發發獸性，其實也滿健康的。

報導出來後，反應奇多，當時在洛杉磯北美事務協調會處長劉達人開玩笑地問我：「戴了假髮男生可以進場吧？」商務組組長劉廷祖則反應：「寫得還不夠露骨！」看他們辦事一流，平時外表有外交官的氣魄，而尚保有「赤子之心」，不吝嗇表達想法，我篤定，這篇稿達到了娛樂效果。

文章雖只「點到為止」，但據說，此文一刊，「亞當俱樂部」黃面孔的女郎一下子便增多起來了。

瑪丹娜能，老婆不能？

瑪丹娜的胸罩？是的，在洛杉磯好萊塢大道「胸罩博物館」裡，你可以看到它堂而皇之的掛在那兒！

這間十分特殊的「胸罩博物館」，是菲德瑞克胸罩公司（Frederick's）為慶祝其創立四十一年而設立的。

稱其為「博物館」或許有些誇張，因為它只是設立在好萊塢菲德瑞克總公司內的一處展示場。不過仔細看看其所展示的東西，卻也來頭不小。這座「博物館」展出了四十年來女人胸罩發展的歷史沿革，還有許多名女人慷慨割愛，捐出了自己的內衣。喜劇演員菲麗絲・狄勒在為「胸罩博物館」剪綵時還打趣地說：「我捐贈一件特製的胸罩，因為我擁有特製的身材！」

好萊塢菲德瑞克公司的負責人是露絲・弗樂芙女士（Ruth Frolove），一個十分和藹、年約五十的褐髮白人女性。她在菲德瑞克公司工作已超過二十二年，她表示，在菲德瑞克公司任職是世界上最愉快的事。

因為：女人的胸脯是人類的焦點，永遠是話題，也永遠不會過時。

弗樂芙女士說，該公司是幾個星期前曾寫信給幾位好萊塢著名的影歌星，請她們捐贈自己使用過的胸罩，以配合他們公司四十一年來在胸罩業上的發展及宣傳。

其中捐贈胸罩的，除了風靡世界的搖滾樂歌手瑪丹娜、喜劇明星菲麗絲・狄勒外，還有女星美咪・范杜倫、前「至上」合唱團團員瑪麗・威爾森、彭特合唱團姊妹及女星阿曼達・布雷克等人。她們當中有些人所穿的胸罩並非菲德瑞克公司製造，但弗樂芙女士說，該公司希望用這些名人的胸罩來強調——穿戴胸罩的時代再度來臨了！

事實上，這一招的確奏效。比如說，面貌酷似瑪麗蓮夢露的搖滾女歌星瑪丹娜，在唱歌時穿著十分性感，常是胸罩一件，再配一條短裙或三角褲，風靡歌迷。

據弗樂芙女士說，由於瑪丹娜已成為千萬少女崇拜的偶像，許多人群起仿效她的穿著。

「胸罩博物館」展示一九四六年至一九八七年間，菲德瑞克公司所設計的胸罩樣品及早期的胸罩目錄及設計圖。共分十多個櫥櫃擺設。

弗樂芙女士在一一介紹這些櫥櫃時表示，該公司創辦人菲德瑞克先生原先是在胸罩目錄公司做事，一九四八年當他加入軍隊時，常與兵士去看電影。「兵士在看到電影明星穿戴性感的胸罩時都會起遐思，為什麼女友與太太就不能穿著那麼性感？」弗樂芙說，菲德瑞克在知道士兵們的想法後，便開始設計一種適合大多數女人穿著的胸罩在市面上發行，並首次有黑色胸罩上市。

在一九六一年以前，胸罩的顏色多為白色系列，樣式也都十分簡單。但在一九六一年，菲德瑞克引用歐洲婦女的穿著方式，把花邊蕾絲用在胸罩的設計上，像有些婦女喜歡把襯裙的花邊故意露出裙子之外，胸罩罩杯上的蕾絲也同樣發揮了嫵媚的效果。

菲德瑞克於一九六二年開始做郵購胸罩的生意，根據顧客的特別要求，製做各式各樣的胸罩。他當時還發出驚人言論，把胸罩比做凱迪拉克汽車及雪佛蘭汽車，利用鋼絲撐起女性的胸脯及強調其「流線型」。

一九七二年菲德瑞克又對婦女做了另一項貢獻，他所設計的一種塑膠片，可以使雙乳看起來不平衡的婦女彌補缺陷。

瑪丹娜捐給胸罩博物館的舞衣。

弗樂芙女士說，「我們設立博物館的目的之一，是讓消費者瞭解女人胸罩的設計，就像汽車及服裝一樣，每年都在變更、創新。」

她半開玩笑地表示：「隨著年歲的增長及地心吸力作用的加強，沒有一個女人可以永遠保持胸部及面部的張力，因此菲德瑞克對婦女『往上推』的功勞是很大的。」

看到「胸罩博物館」所展示的早期胸罩，可能會令消費者感到驚訝。因為有許多胸罩的設計十分「露骨」，甚至故意讓重要的部分外露。

例如菲德瑞克在一九六五年設計的皮製胸罩、一九七〇年設計的鳥籠型胸罩、一九七二年蕾絲胸罩及露出乳頭的胸罩等，都不像是「正常情形」配戴的胸罩。

弗樂芙女士表示，女人是上帝的傑作及男人的寵物，胸罩的作用除了健美、保持體態平衡外，對增進男女的親密關係也有很大作用。

例如鳥籠型胸罩，意喻：「男士們，請解放我！」是種帶詼諧、玩笑，具挑逗性的設計。

在「胸罩博物館」展示的一個櫥櫃中，有種名為飛彈及冰淇淋型的胸罩，它們的設計方式是強調乳房的尖挺，名字聽起來十分逗趣。

弗樂芙女士說，她常有機會坐飛機到各地去洽談生意，當她與飛機上乘客聊天，說明自己是在菲德瑞克公司工作時，常常可以找到許多話題，很多人喜歡找她談話。「我有時故意告訴別人我在銀行工作，他們就提不起和我談話的興趣了。」

如弗樂芙女士所說，在菲德瑞克公司工作是相當愉快的事，環視公司內的銷售員都非常親切，買賣胸罩像是一件既好玩、又玩不膩的遊戲。

在菲德瑞克公司的店中，還不時可以看到男性顧客，有些陪著太太或女友來選擇內衣，有些獨自到店中挑選，在公開場合談論胸罩似乎已不再是祕密。

到底如何穿戴及選擇胸罩才適合自己？

弗樂芙女士說，穿戴適合自己體型的胸罩，可以讓人感覺有自信及維持良好的姿態及外觀。然而，根據《哈波士雜誌》（*Harper's Magazine*）的調查，美國百分之七十五的女性所穿戴的胸罩都是錯誤的，不是尺寸不對，就是選擇的型態不適合自己。

影響女性胸部成長的原因甚多，例如體重的增加、生孩子、使用避孕丸、年歲的增長等。因此菲德瑞克胸罩公司建議女性不要長年使用同一型及同一尺寸的胸罩，應該讓專業人員替妳量胸圍。

若妳要自己測量胸圍，測量方法如下：

在乳部連接胸部的地方繞一圈，若胸圍是奇數，則加五，例如量出是二十九吋，加五後為卅四，因此穿著的尺寸應為卅四號。

是卅六號。

若量出的尺寸超過卅三，則加三，例如量出為卅五吋，加三後為卅八，穿著的尺寸就應為卅八號。

乳杯的測量方式是繞胸部最突出的部分一圈，量出的乳部尺寸，減掉胸圍尺寸，即可以決定乳杯的大小。若相差小於一，則乳杯為AA。若相差大於一，則乳杯為A。若相差大於二，則乳杯為B。若相差大於三，則乳杯應為C。若相差大於四，則乳杯為D。若相差大於五，則乳杯為DD。

要確定胸罩是否適合自己體態，應注意下列幾點：

①乳杯間的銜接應貼身，不應有縫隙。
②乳杯若產生皺折，應嘗試小一號的乳杯。
③若雙乳壓得太緊或超出乳杯，則應嘗試大一號的乳杯。
④肩帶不應壓得太緊。
⑤乳罩後面應往下戴一些；戴低一些，前面可以穿得更適合。
⑥乳罩應該保持舒適，若繃得太緊，趕快試大一點的胸罩，以免影響發育。

露絲·弗樂芙女士說，菲德瑞克公司在全美設有一百四十家分店，都有專業人員為仕女們服務。胸罩的樣式及顏色更是應有盡有、琳琅滿目，若顧客還不滿意，也可以訂做。

在聖誕節、新年即將來臨前，菲德瑞克公司也製做了一些俏皮、帶喜氣的男女內衣褲，訂價也不算太貴，一般消費者都能負擔得起。

愛美的女士及聰明的男士們，不妨利用假期，探索一下女性的「內在美」！

一九八七年十二月三日

都是泳裝年曆惹的禍

出版一九九〇年大學女學生裸體及泳裝年曆的聖荷西州立大學兄弟會Pi Kappa Alpha，因使女同學「春光外洩」，招惹到許多意料之外的麻煩，除了保守人士的嚴加指責外，州大行政單位並一狀告到全國兄弟會總會，使其在今年五月份學期結束前，無法舉辦任何活動。對於活動頻繁及精力旺盛的州大兄弟會會員來說，被「禁足」是相當嚴重的懲罪，記者特別訪問了州大兄弟會會長艾斯比諾沙（Joe Espinosa）及年曆執行編輯里伯（Brian Liebl）談他們的感想及製作年曆的過程，來了解美國大學生的心態，以下是問答記：

問：出版泳裝及裸體年曆的動機為何？

里伯答：兄弟會自一九八〇年開始，每年都發行年曆來做為舉辦活動的基金，但過去

州大兄弟會執行編輯里伯（右）及會長艾斯比諾沙。

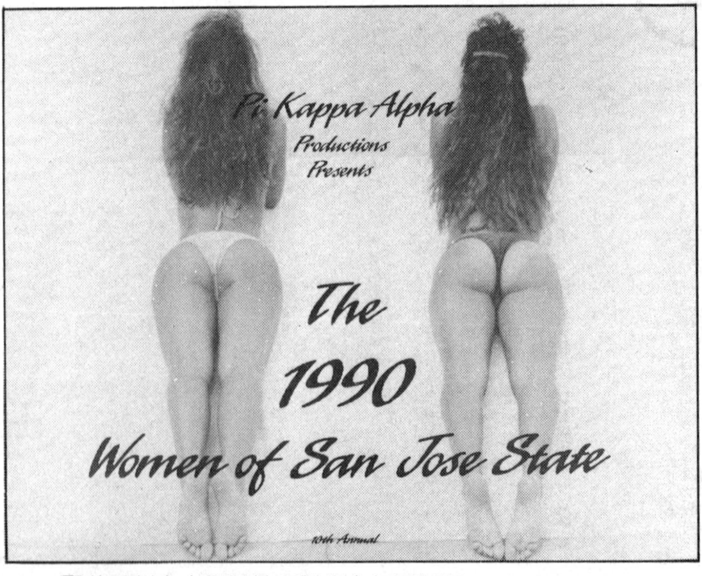
Pi Kappa Alpha
Productions
Presents
The
1990
Women of San Jose State
10th Annual

聖荷西州立大學兄弟會製作之年曆封面。

每年都賠錢，有人反映年曆不夠性感，假使能做一點可引起「騷動」的主題，年曆應可以達到賺錢的目的，我從去年元月開始便構想以校內女學生泳裝照做為一九九〇年年曆主題。

問：但何以在年曆內出現裸照？你們又如何甄選模特兒？

里伯答：整本年曆中其實只有兩張裸照，我在校內報紙上刊登徵求女學生模特兒的廣告，結果有九十個人報名，我將她們集合起來，告訴她們由於過去兄弟會年曆不賺錢，一九九〇年將打破慣例，不過需要她們多露一點肌膚。我未要求她們裸露全身，但其中有兩位則主動表示，假使有需要，她們願意一絲不掛。我後來考慮一下，覺得她們主意不錯，便決定這麼做。其中有一位是美日混血兒。

問：你們用甚麼標準做最後人選的裁定？有沒有組成評選委員會？

里伯答：做最後決定的只有三個人，我、副執行編輯及攝影師，攝影師大衛是越裔。其實非常難選，但我們的審美觀念相去不遠，因此沒有什麼爭執，但最後我們用了十八個女郎作為年曆的主角。

問：你們不覺得刊出類似年曆對女性不尊重？假使校內姐妹會也製作男同學的泳裝及裸體照，你們會不會覺得被「汙辱」？

里伯答：我覺得年曆表現出女性柔美的一面，絲毫沒有對女性不尊重的意思，我也敢對姐妹會提出挑戰，假使她們願意投注這麼多的時間、精力製作年曆，我願第一個報名做男性模特兒。

問：年曆共發行多少份？這次是否達到賺錢的目的？

里伯答：我們總共印了三千份，學校書店賣掉兩千份，現手頭還剩七百份，但我們已被禁止繼續賣這些年曆。不包括廣告，賣掉這些年曆我們淨賺五百元以上，年曆內三十六個廣告，每一塊值兩百元。我們編排、製作、照相印刷等各種費用大約七千元，因此還是有賺。

問：你們花了多少時間來製作這份年曆？

里伯答：我是主要的製作人，除了面談九十位女孩外，還要拉廣告，可以說我在一年內平均每週工作二十四小時。你不知道拉廣告有多困難，我被拒絕過很多次，但總算找到三十六家支持者，我打保單很多出了校門的人也無法像我找到這麼多的廣告。

我本身主修市場學，輔修廣告，年曆是我第一個課業計畫，市場學本身就是教你如何促銷、如何賺錢，我認為學校是個自由開放學習的場所，如今這麼成功的年曆招致此種後果，我對學校體制感到失望。

問：學校打電話給全國兄弟會總會，導使你們無法辦活動，身為會長，你的感受如何？

艾斯比諾沙答：我覺得學校做法有欠公平，我對行政人員也失去信心及尊重。他們打電話到田納西州，告訴總會我們有「紀律」及態度上的問題，說兄弟會常遭到鄰居的抱怨，把我們形容得像全美最糟的兄弟會組織。我們在四、五年前，是曾遭到居民的抱怨，你想想看五、六十名大學生聚會開派對，你怎麼可能叫他們安靜？但是最近幾年我們未再招惹到什麼麻煩，沒想到年曆一出，整個舊帳又再翻出，從「好男孩」又再變成「壞男孩」，真不可思議。

問：州大兄弟會有多少成員？平常做些什麼？被「禁足」後，兄弟會會員的想法如何？

答：兄弟會有六十五名成員，有中國人、日本人、越南人、猶太人、黑人、墨西哥人，可以說是全校最具種族多元性的學生團體，我們屬於學生社團，除了同樂聚會外，我們也籌款支持紅十字會、地震賑災、耳聾及盲人協會等有益社會公益的活動。由於我們被禁止在學期結束前辦任何活動，身為會長，我感覺很失望及難過，許多計畫被迫取消，例如年度懇親會、為教授們舉辦的謝師宴等都無法如期舉行。兄弟會會員當然和我一樣失望。

問：學校同學對年曆反應如何？

答：大部分的學生都很喜歡，有少數人認為冒犯女性，也有人認為年曆刊行使兄弟會招致這麼大的麻煩有點過度。

問：你們可否給我一點簡單背景？

艾斯比諾沙答：我今年二十二歲，有墨西哥裔血統，我是第四代墨裔，主修廣播電視電影，將來想朝娛樂界發展。

里伯答：我是第三代猶太人，今年二十三歲。

問：你們選出來的十八位女郎，她們在年曆出刊後反應如何？

里伯答：她們十分高興，其中有百分之九十的女孩都已有男朋友，她們的男朋友也十分以女友為榮，常把年曆拿出來「**Show-off**」。

艾斯比諾沙答：我要補充一點，雖然學校行政單位不喜歡這份年曆，也使我們招惹到麻煩，但許多傳播媒體，像NBC、ABC電台、《舊金山紀事報》等，都做了平衡報導，我們感覺很欣慰。

一九九〇年五月六日

採訪外記

有人對美國的高中女生做過調查，假使在未來《花花公子》的獵豔者來登門造訪，請她們做內頁主角時，她們是否願意？結果有百分之五十的女學生說，若是她們有足夠條件的臉蛋及身材，會非常願意展示自己。美國青少年似乎對於自己身體比較不忌諱公開，例如在大學學生宿舍內，洗澡間幾乎沒有門或簾子，初到美國唸書的中國學生，常會為了洗澡玩「躲迷藏」的遊戲，總是挑其他人不用洗澡間的時間，例如三更半夜，完成清洗的工作。

蜜絲佛陀美容博物館

美麗嫵媚的女人，知道如何用化粧品使自己變得更迷人、俏麗、動人。做個現代女性真是幸福，想想看，一百年前，辭典上那來的唇膏、粉餅、假睫毛等字眼？倒是「黃臉婆」這個名詞，早在八百年前就是被叫開了呢！

當今愛美的仕女，對化粧品本身可能瞭若指掌，但是對化粧品的發展過程及創始經過，恐怕所知不多吧！

假如你有機會到加州好萊塢觀光，千萬別錯過蜜絲佛陀美容博物館，你從亮麗的玻璃櫥窗及上百幅的好萊塢影星照片中，會發現，想將「醜小鴨變成美天鵝」，還真不是一朝一夕的事。蜜絲佛陀美容博物館坐落在好萊塢市中心，隔條街便是著名的好萊塢中國戲院。

博物館為了鼓勵更多人參觀，設有免費的停車場，並且是免費入場。

一進博物館大門，你會第一眼看到蜜絲佛陀化粧品公司的創始者Max Factor的畫像。提到譯者，我們不得不佩服這位將英文譯為中文的先生（或小姐）。他把一個純粹男性化的名字，譯成十分吸引人及迎合化粧品女性柔美形象的字眼——蜜絲佛陀。

假設我們直譯成「馬克斯·樊克圖」，就有點像沙皇時代俄國人的姓名。說來也很巧，這位化粧品先驅正是帝俄時代皇家芭蕾舞孃的化粧師，跑到美國打天下後，才獨創了現代化粧品工業，並在化粧術方面創下革命性的事業。

蜜絲佛陀在一九〇九年一月二日正式創設公司，早先他在洛杉磯市區開設一家一人經營的化粧及做頭髮店，那時，他只有廿三歲。一九三八年，享年六十一歲的蜜絲佛陀去世，而他所經營的公司已穩固地打下了基礎，目前，蜜絲佛陀化粧品公司在歐洲、亞洲、中南美洲、非洲、加拿大、墨西哥、澳洲等一百廿個國家皆設有行銷機構，使用的僱員在八千人以上。

好萊塢的電影事業與蜜絲佛陀有相當密切的關係。一九〇八年默片時代，膠片都是黑白的，雖然顏色不是那麼地重要，但演員面部的陰暗卻關係重大。

早期的電影公司，常需造訪蜜絲佛陀，來解決化粧上的問題，尤其使用在舞台上的化

此人便是蜜絲佛陀先生

早期製造化粧品的用具

粧常不適用在電影上。一九一四年蜜絲佛陀特別創造一種專為電影明星設計的化粧術，不會使面龐過於誇張，此外並發明十二種從淺到深的油膏，加強默片效果。

第一個使用蜜絲佛陀化粧油膏的明星亨利·華索（**Henry B. Walthall**）很成功地發揮了面部效果，也從此，蜜絲佛陀也打出了金字招牌。

目前黃毛丫頭閨房裡擺設的瓶瓶罐罐，從頭到腳，絕大部分都是蜜絲佛陀開創出來的。一九一〇年至一九二〇年，有兩項重要的發明由蜜絲佛陀開創。

早先裝在盒子裡的化粧油膏，改裝成為鋁管裡，可以像牙膏一般擠出來，方便使用，之後，這種新式包裝，馬上風行起來。另一種重要的發明，叫做「色彩諧合」（**Color Harmony**），蜜絲佛陀發現女人的面龐中，頭髮及眼睛最為重要，可利用特殊顏色調配，使其更具效果。一九二七年這種面龐分析及顏色調配技巧變成了全國仕女們遵從的原則，不再限於電影明星使用。

一九二八年，蜜絲佛陀得了新成立的奧斯卡電影藝術學院化粧金像獎，表揚他在化粧術上的特殊見解及貢獻。

一九三二年電視媒體相繼出現，另一種化粧問題也同時倚賴蜜絲佛陀的巧手及頭腦解決。一連串的研究在實驗室中展開來，終於，蜜絲佛陀研究出特殊的「電視化粧」（**Television**

Make-Up），並一直做為電視台化粧標準。一九三五年，蜜絲佛陀開創了一個新的里程碑，蜜絲佛陀化粧沙龍（Max Factor Make-up Salon）在好萊塢正式開張，八千賓客湧往慶賀，主辦單位備了一張大羊皮，記錄許多好萊塢影星的簽名，其中有華裔明星黃柳霜及日裔明星的漢字簽名。是目前為止，最大及最完整的「明星簽名紀錄」。這張大羊皮現存放在博物館中，供人參觀。

蜜絲佛陀在假髮製作上，也展露了真功夫。他首創用真人頭髮做假髮之用，增加了許多真實感。最特殊的，他先測量好萊塢影星的頭顱，並打造大小尺寸相同的頭部模型，當一部影片需要某演員特殊的頭髮設計時，蜜絲佛陀可以立即取下該演員木頭模型，根據模型設計髮式，節省好萊塢影星的來回時間。博物館內展出的幾個著名「木頭」，包括：法蘭克辛納屈、芭芭拉史翠珊、卻爾登希斯頓、金凱利等人的頭部模型。

後來幾年，由於蜜絲佛陀絕妙的頂上功夫，使許多禿頭男士尋回了自尊，也使了許多仕女真正享用「流行」髮式。

講到蜜絲佛陀的成就，不可不提「水粉餅」的發明過程。在彩色電影剛出來時，許多明星的臉龐會呈現難看的綠色或火紅色。經過幾個月的研究實驗，蜜絲佛陀發現利用少許的水份，擦在臉上，可以改變效果。。在“Vogues of 1938”這部電影上，演員的面龐呈現了完美的效果，在電影史上，首次出現真實及自然的化粧術。從此，水粉餅變成了彩色電影的化粧必需品。

自從水粉餅發明後，電影明星十分喜歡那種半透明的自然效果，紛紛購買水粉餅，也在一般場合下使用。洛杉磯一張全頁兩色的巨幅廣告刊登後，幾乎一夜之間，使水粉餅成了銷售最快、人人搶購的化粧品，在化粧品歷史上屬罕見盛事。直到今天，水粉餅仍受仕女們喜愛，是最流行的化粧用品之一。

目前蜜絲佛陀化粧品公司屬於碧翠絲（Beatrice Companies, Inc.），企業集團總部設在康涅狄克州的史坦福。

雖然現代的影星已不像從前那樣仰賴化粧，攝影技術和鏡頭燈光的安置能補足化粧的不足，但化粧仍是影視藝術中不可缺乏的要件。

蜜絲佛陀博物館於去年創設，紀念蜜絲佛陀化粧品公司成立七十五週年。在博物館中，有一九〇四年在聖路易萬國博覽會展出的最早化粧品磨粉機器、蜜絲佛陀最早的女明星化粧的化粧台、著名舞蹈明星的西裝晚禮服及許多早期的化粧用品。當然，還有滿屋子曾光顧此地的電影明星照片。

蜜絲佛陀美容博物館雖不算大，但是可以讓你了解蜜絲佛陀創作歷程及滲透現代文化的實質經過，也讓你不再小看化粧品的功能。

百聞不如一見，有機會何妨親自瞧一瞧。該館地址··Max Factor Beauty Museum, 1666 North Highland Ave., Hollywood。（213）463-6164，（213）463-6668。

一九八七年五月四日

基督教救世軍戒毒戒酒中心

加州洛杉磯縣羅斯密市有一所基督教救世軍戒毒、戒酒中心，是從未對外開放的地方，但它免費替酗酒及吸毒者進行心理及生理治療。這個中心擁有九十個接受治療的人，負責人是義大利裔牧師朱得時（**Romolo Giudice**）。

這些來戒毒、戒酒中心求治的人，大部分是由警察局及法院送來的，小部分則是自願進來的。由於他們不是嚴重的罪犯，法院通常給他們兩種選擇：救世軍或監獄。假如在救世軍期間表現良好，可以避免再進監獄。

據救世軍的華人牧師胡祖同表示，大部分剛被送進中心的人，腦神經都已經受到酒精及毒品的嚴重摧殘，不但動作遲緩、兩眼無神、全身發抖，並且全身都是跳蚤、酒味或腐味。由於長時期沒有過正常人的生活，他們連最簡單的刷牙、洗臉、扣鈕扣都必須再從頭教起。

進入中心戒酒或戒毒的人，先受救世軍三到四個月的免費治療，之後可以繼續住在中心，除了有心理學家協助他們解決問題外，還提供免費的三餐及零用金。中心設有娛樂房及餐廳。戒毒或戒酒的人在中心過著規律性的生活，每天早上六點起床，吃飯後由牧師講道，一天必需工作八小時，幫忙修護及整理外界捐贈的衣物用品。晚上九點睡覺，其他時間自由支配；要離開中心外出，必需先報備一聲。

救世軍的戒毒、戒酒中心經費全來自救世軍經營的舊貨商店。他們將外界捐贈的衣物、用品、家具，在中心的倉庫修理、分類、配件，並予以徹底消毒後，交到舊貨商店去賣。該中心有四部電話，專門與收舊貨的大卡車聯繫，卡車帶回的東西，包括：汽車、沙發、冰箱、電視、腳踏車、收音機、枱燈、衣服、鞋子、書報等等，應有盡有。有些較有錢的人會自動打電話主動捐贈舊貨。據說，利用捐贈物品的估價單可以用來抵稅。

在該中心戒毒或戒酒的人，大多參與整修舊貨的工作，他們有做過木匠、做過電工的，一面工作，一面熟練技能，出了中心便容易再找到工作。年紀較大的人則做一些較簡單的衣服分類整理工作。

三十七歲的胡祖同牧師，是基督教救世軍派在蒙特利公園市，為少數族裔工作的華人牧師。他畢業於芝加哥基督教神學院，主修青少年犯罪心理。

據他說，在戒毒、戒酒中心接受治療的人也有很多出去又再犯上毒癮、酒癮，被逮進警察局去的。胡牧師強調，一個有酒癮的人，在接受過治療後，往後的生活連一滴酒都不能再沾，要不然便前功盡棄。

不幸的是，接受治療的人，十個當中有九個失敗的例子。胡牧師表示，酗酒是心理問題，而非生理問題，上了癮便每天要靠它生活。很多人認為「少喝一點不就行了？」胡牧師說：「這是欺騙自己的藉口，酗酒是一種心理疾病，必需接受心理治療。」現在有許多初高中生以喝酒醉為樂，他認為是十分危險的現象，做父母的應特別注意。

基督教救世軍於一八六五年，在英國倫敦創立，現在遍及全世界八十五個國家，是國際性基督教教會暨社會福利機構。

救世軍的牧師都身著制服，並依服務年資冠以軍階（與正式軍人無關），自中尉、上尉、少校、中校、上校、准將、中將至大將（全球總指揮）。現在全世界只有三名屬於救世軍的華裔牧師。胡祖同牧師積極擔任華人服務的工作，其中包括組織婦女會、幫助剛到新大陸的華人適應環境、青少年生活輔導、教導新一代認識中國文化等，他希望能夠做華人與美國社會的橋樑。

手背刺青的牧師

朱得時牧師（Romolo Giudice）是義大利富商後裔，在犯罪率極高的芝加哥出生及長大。十三歲那年，母親患癌症去世，在他心靈備受創傷的時候，父親忙於事業，無法顧及他，常用金錢來滿足他的要求。

那年聖誕節，父親買了一大堆玩具想讓他高興一下，他用力地摔開玩具，使性子地大叫：「我一點都不稀罕你的玩具！」

他當時迫切需要的是——父親的愛。可惜父親並沒有了解，反而使勁地打了他一巴掌，從此，小朱得時便離家出走，開始在外頭流浪、鬼混。

他在十四歲那年觸犯了吸毒法，被送上青少年法庭，但是，有錢的父親將他保了出來。

從此，他更無法無天、變本加厲地吸毒、販毒，一次又一次地觸犯法律。進出監獄對他來說，一點也不新鮮，但是被誣告為殺人犯，則是始料所未及之事。初審時，他被判有罪，在暗無天日的死四牢裡待了六個月。

半年後，上訴重審，才被釋無罪。出獄後，他仍然無法戒掉過去打速賜康的毛病，針孔一個個地又出現在他的手臂上，為了掩飾針孔，他在手臂刺上了花紋，但仍無法逃過警察的銳眼，又被逮進了警察局。

當時地方法院的法官是一名猶太人婦女，她看看他累犯的紀錄，再看看他，丟了一句話：「基督教救世軍還是監獄，給你選！」朱得時過去一直認為宗教團體只是一堆垃圾，但是，與監獄相較，他選擇了救世軍。

在基督教戒毒戒酒中心接受治療的人，除了每天工作八小時外，必需聽牧師講道，一向自認聰明的朱得時，從不把這些基督徒道理放在心裡。

直到有一天，他看到聖經上的一段文字：「愚笨的人不懂得敬畏上帝，只有真正有智慧的人才敬畏祂！」這句經文使得他非常忿怒，但是卻使他做了深入的思考，他不能自己的跪了下來，想禱告，但是不知如何開始，於是放聲大哭起來，從此，他開始信仰基督。

朱得時的婚姻也受過很多阻擾，他的美籍太太家人都極力反對這樁婚姻，認為朱得時有太多的「前科」，儘管他已經成了基督徒，也有再犯的可能。朱得時在與太太婚前交往時，也遇到一些社交困難。他說：「我過去嫖一些十三點的女人，一點問題都沒有，但是碰到一個有教養、有完好教育的女性，我確實不知道如何啟口。」不過，朱得時終究贏得了他太太的愛，現年四十九歲的朱牧師，已經是三個大孩子的父親，他教導他的孩子：「不要回顧過去，目標要永遠向前。」

一九八七年七月七日

洛杉磯未婚媽媽之家

「你這個不要臉的東西，我好不容易養妳這麼大，妳不學好，在外鬼混，還懷了小雜種，從今天起，我們斷絕父女關係，妳滾、愈遠愈好，我不要再見到妳……。」一巴掌下去，再加上父親毫無理智地一陣拳打腳踢，思思帶著黑腫的雙眼及瘀血的手、背，被趕出家門。

徘徊十字街頭，眼前一陣空茫，誰能幫助她呢？目前，思思必須立即做個決定：打胎拿掉孩子或留下它？十七歲的思思，連個高中文憑都還沒拿到，被男友、家庭拋棄下，經濟來源也跟著斷失，假如要留下肚中的孩子，憑什麼養活它呢？但是思思仍然決心將孩子生下。

根據全美一項預測，百分之七十以上的未婚懷孕少女選擇生下孩子，自己撫養，只有百分之卅選擇墮胎。醫學報告中說，十六歲以下少女懷孕，對母體或嬰兒來說，是最大的冒險，由於母體未完全成熟，加上年輕少女育嬰保健知識不足，很可能產生畸形或死胎的現象。

思思在許多未婚懷孕少女中，算是比較幸運的了，在決定留下孩子後，她被社會工作人員送進基督教救世軍設在洛杉磯林肯岡的「未婚媽媽之家」，得到妥善照顧及學到生活技能。

「未婚媽媽之家」從一八九九年成立至今，幫助過無數的少女，完成了高中學業及取得職業技能，有的孩子被好人家收養，有的孩子則由母親撫養。目前「未婚媽媽之家」共收容了五十名未婚媽媽，年齡從十二歲至廿一歲間。

中心主任姜絲頓（Joyce Johnstone）表示，社會上許多人士譴責墮胎行為，但是卻沒有讓這些未婚懷孕少女有選擇的餘地，她們是被拋棄的一群，需要的關懷及愛比一般人強。「越來越多少女希望能生下孩子，是因為她們本身缺少愛，想從孩子身上找到溫暖。」姜絲頓指出，「到未婚媽媽之家的女孩之中，有百分之八十二以上有被虐待的現象，家中缺乏溫暖，大部分只有跟父親或母親其中一人住在一起。」

姜絲頓說，有些沒有美國籍的新移民，也到中心求助，通常該中心會設法幫忙取得綠卡，讓其接受政府的補助及其他福利。過去有兩名非法移民，由「未婚媽媽之家」提供免費的照顧、吃住及協助指導。

「未婚媽媽之家」有兩種不同照顧方式。年記在十二至十八歲的未婚媽媽，必須參加嬰兒母親課程（Mother/Infant Program），有專人指導產前產後須知及照顧嬰兒的方法及技能。孩子生下後，可以繼續在中心住上十四個月。

年紀從十八歲至廿一歲的未婚媽媽住在沙馬利亞屋（Samaritan House）內，有心理醫生、心理學家指導，學習如何做飯、洗衣、購物以及家庭預算等等。

姜絲頓說：「孩子生下後，我們可以幫女孩子們找暫時願意收養的人家，一、兩年後，嬰兒可以再回到母親身邊。母親平常也可以去探望孩子。」

姜絲頓表示，任何到未婚媽媽之家求助的少女，規定必須上學。在洛杉磯聯合學區管轄之下的Thomas Riley高中，針對未婚媽媽開設普通高中及職業訓練課程。未婚媽媽可以在同一個學校班級上課，不會受到其他人的嘲笑。

未婚媽媽搬出「未婚媽媽之家」後，救世軍仍然給予各方面的協助，例如有專車接送她們到校上課，把孩子一起接到兒童照顧中心，由志願工作者代為照顧。目前救世軍專車每天接送廿四個未婚媽媽上下學。

姜絲頓表示，「未婚媽媽之家」主要目的在幫助少女重建生活、重拾信心，告訴她們世界上仍然有人關懷及愛她們。進「未婚媽媽之家」的少女有百分之九十以上沒有宗教信仰，但是有些未婚媽媽在生下孩子後讓自己的孩子在中心的教堂內受洗。

「未婚媽媽之家」有三位心理輔導員到各社區的未婚媽媽家中做探訪，如有任何需要，救世軍會給予協助。

有些未婚媽媽帶著孩子離開中心後，住進養父母（Foster Parents）家，有些回去與親戚住，少部分與男友結婚，組成家庭，有的兩個未婚媽媽住在一起相互幫助。

設在「未婚媽媽之家」附近的一個免費診所，專門免費替未婚媽媽的嬰兒看病及檢查身體。中心內也有全天及半天的護士替產婦做檢查。

姜絲頓指出，「未婚媽媽之家」的經費來自州郡政府、救世軍本身以及聯合基金會（United Way），通常一年的費用在一百萬元左右。每一個人每個月的基本費用為兩百四十元。

救世軍「未婚媽媽之家」在西部十三州共有十五個分處，最近設在芝加哥的「未婚媽媽之家」因無法負擔龐大的費用而被關閉。

姜絲頓說，「未婚媽媽之家」需要許多社會人士支持才能維持。中心內的家具、用品等都是靠捐贈而來。例如嬰兒奶水全是由Ross Lab公司所贈。這家公司的老闆卅五年前是奶粉推銷員，也受過救世軍的恩惠。

加州墮胎現在已經合法，但是越來越多的少女選擇留下孩子，基督教救世軍「未婚媽媽之家」提供了最完善的服務、照顧及協助，也為這些不幸失足的少女，帶來一絲希望及生存的勇氣（未婚媽媽自殺率比常人高出七倍）。

一九八六年十一月二日

《愛麗絲夢遊仙境》也是禁書？

一踏進北加州聖荷西總圖書館，靠左邊走，有一個目標明顯、陳列禁書的專櫃，讓人不禁好奇：美國是世界上言論最自由的國家，居然也查禁書刊？

再仔細一看，被禁的書籍中，居然包含一些世界名著，例如馬克吐溫的*The Adventure of Huckleberry Finn*、童話故事《愛麗絲夢遊仙境》、《綠野仙踪》等。

在禁書專櫃上方，有一告示牌，上寫著：「不管被查禁的書為何種性質，本圖書館不同意任何書刊被禁，這違反了人類知的權利及自由表達的意願。」

根據圖書館員梅絲（**Linda Paulo Meiss**）解釋，九月廿三日到九月卅日是「反對書刊被禁周」，該館為表達支持立場，特別製作了這個專櫃。

她表示，在美國各州或各地的公立圖書館、學校有權選擇收藏的書籍，某些書冊若冒犯到特定團體或個人，便可能被列為查禁對象，馬克吐溫的書被某些圖書館拒絕陳列，是因為其中的文字冒犯到黑人，《愛麗絲夢遊仙境》被禁是因愛麗絲在故事中吃藥，產生幻想，引起某些反吸毒者的敏感，《綠野仙踪》（*Wizard of OZ*）不被接受則是某些人認為它基本上是垃圾文學，寫得太差。

與中國有關的英文童話故事《五個中國兄弟》（*Five Chinese Brothers*）也是禁書之一，由於作者把五個兄弟都描述為綁辮子的模樣，有人認為是「陳腔濫調」，不值得兒童閱讀。

儘管各有說辭，有些書被禁的理由卻很有意思，例如洛杉磯縣部分學校圖書館將《泰山》古典文學列為查禁，原因是男女主角（**Tarzan and Jane**）沒有結婚。

一九八九年九月廿七日

第三部

有關ABC

老中開講，洋學生「猛喳喳」

學期結束，南加州大學電機系某一老美研究生在「教師考評表」上填寫：「教學不夠幽默，英語發音咬字太差，外國腔太重。」

威斯康辛大學麥迪生分校校刊上說，外籍學生助教（ＴＡ）無法解釋考試題目，無法與學生溝通，增加本地學生挫折感。

洛杉磯電機及電子工程協會（ＩＥＥＥ）讀者投書：「目前工程系外籍教師大部分缺乏適當英文說寫能力，學生在正規教育中因而受到欺騙。這種嚴重問題有必要全國擬出對策，尋求立法解決。」

最近無論在教師考評表、學生刊物或專業雜誌上，都可見到老美針對英語能力問題攻擊外籍學生的教學能力，甚至在全國性的《華爾街日報》上，有人認為外籍學生畢業教書，對美國學生來說，「是個悲劇」，因為不知其所云。

南加大電機系信號映像處理研究所所長貢三元不完全贊成這些說法，他認為老美學生有時確實很難「伺候」，他們喜歡上課氣氛輕鬆，碰到不會講笑話，文化背景及習慣不同的外籍教師時，便覺格格不入。

貢三元教授說，大部分美籍工程系學生大學一畢業便可找到高薪工作，很少有人願意再繼續唸書，從事教育工作。外籍教師雖然語言表達能力不夠完美，但是專業知識或研究能力必定超越其他人選，在工程系教員供需不足下常是最好的選擇。

貢三元教授表示，南加大批評講師的情形較少，倒是有人抱怨教學助教的語文能力太差，因此南加大最新規定，第一年從其他國家來美唸書的學生不可上台講課。

目前在威斯康辛大學麥迪生分校任研究助理的工程系博士班候選人朱卓中說，校園內老中的反應是，做研究助理（ＲＡ）比教學助教（ＴＡ）「安全」得多。ＲＡ不必上台授課，又可一邊工作，一邊做自己論文。擔任ＴＡ不但要花很多時間準備教材，又要回答許多繁繁瑣瑣又不見得回答得出來的問題。

朱卓中說，一般老中多先申請ＲＡ獎學金，除非不得已才做ＴＡ。

在德州大學阿靈頓分校機械系擔任TA的黃威山從高中開始在美國就讀，但是他平常上課仍然有老美學生會直接指出他那個字發音不對，或在學期結束考評表上直接寫著：「我不曉得你上課在說些什麼。」

目前在博士班唸書的黃威山表示，做TA對外國學生來說，確實是件十分吃力不討好的事情。

洛杉磯國際洛克威爾公司（**Rockwell International**）應用物理工程師邱爾德表示，該公司設有「科技演講技巧」或「科學報告寫作技巧」的課程，做為工程師在職訓練之用。

邱爾德說，一般人講課最易犯的錯誤便是照本宣科，不知道觀眾的程度及自己所要傳達的訊息，美國人容易犯這種錯誤，外籍教師或助教更不用說了。

邱爾德說，現在已有很多學校、公司或社區提供專業說話及寫作課程，多聽專家意見可以改進許多說話及寫作技巧。

南加大教授貢三元及邱爾德皆同意，既然到美國社會求生存，就要設法適應美國人的生活形態，花時間訓練自己語文，光是逃避、抱怨，並無濟於事。

一九八六年三月十八日

英語發音不再難

影星梅耶史翠普（Meryle Streep）在〈蘇菲的抉擇〉（Sophie's Choice）電影中，學波蘭人講英語，許多人為她維妙維肖的外國口音絕倒。

在美國銀幕或電視上，常可見演員或諧星故意模仿外國人說英語，以達到娛樂、逗笑的效果。

但現實生活上，特別是從外國移民來美，想在此地長久紮根的人，要進入美國社會，在事業上更上層樓，擁有土腔，往往會造成障礙。

不久前，一項全美性的問卷調查顯示，在選舉公職人員時，若發現候選人說話帶有外國腔，有百分之十的受訪者不願投票給這些候選人。

不光在政治領域，無論是在做貿易、科學研究工作、社會工作人員、教師、醫師、律師等，不能說「標準英語」，在這個社會上，多少會感受到一點「歧視」或「不自在」。「我想外國人有土腔是自然的事，但美國是個最開放、也是最現實，最易產生偏見的國家。」有「土腔大師」（Emperor of Accents）之稱的傑克・凱倫（Jack Catran）說：「大部分想去除土腔的人，都是希望在事業上有所突破。」

傑克・凱倫今年五十七歲，是好萊塢影星的語言教師，他教過李察波頓學義大利人說英語、也教過約翰布魯希（John Belushi）學阿拉伯人說英語，他很成功地訓練出不少演員。「除了說英語外，事實上我根本不會說其他國的語言，但我有一副敏銳的耳朵。」在紐約布魯克林Brownsville區出生長大的傑克・凱倫說：「我自小便喜歡研究腔調，也常常做筆記來學外國人說英語。」

凱倫在紐約住了二十多年，後搬到洛杉磯住了卅年，在這兩個「國際城市」內生活，他有無限的機會去接觸各式人種，去瞭解「外國人特殊的英語發音問題」。他同時想到：「假使我能教本地人學外國腔，也能教外國人說標準英語。原則是可以相互應用的。」

一年前，傑克・凱倫在全美發行了十七套書冊及錄音帶，教不同語系者糾正自己特有的英語錄音。他協助的對象包括講華語、日語、越南語、西班牙語、俄語、阿拉伯語、以色列語、法語、伊朗語、印度語、義大利語、菲律賓語、挪威、瑞典語及有愛爾蘭、紐約、黑人土腔者。由於每一種語系都有其特別的發音方式，他的這十七套書冊及錄音帶的學習對象皆不同。例如講華語者應利用**Oriental Edition**、講法語者則利用**French Edition**。他將這套學習教材定名為《如何講英語不帶外國腔》（*How to Speak English Without A Foreign Accent*）。

凱倫表示，這套教材目前已受到紐約市學區委員會（**New York City Board of Education**）的採用，另外全國各大圖書館、美國空軍基地、大學英語課程等也都廣泛採用此教材。在國外，則有日本及中國大陸開始與他接觸。這份教材包括一本書冊、兩卷錄音帶，市價為四十九元九角五分。

傑克・凱倫在洛杉磯**KGIL** 一二六〇調幅廣播電台主持正確英語發音的節目，也在加州州立大學北嶺分校及山漁谷學院教授外國學生糾正英語發音；他的本行是研究太空科學，曾參與美國太空總署巴沙迪那噴射推進實驗室阿波羅計畫，也幫《新聞週刊》（*Newsweek*），《紐約時報》、《洛杉磯時報》等科學撰稿。研究語文純粹是他的興趣。

「我的父親來自中東，母親是西班牙人，由於父親擁有很重的土腔，我小時候常覺得他到學校去，讓我有點丟臉。」傑克・凱倫承認：「要徹頭徹尾改掉外國腔不是件容易的事，但絕對辦得到，只要有正確的學習方法，一年、甚至幾個月內便會有驚人的進步與改變。」

「保羅茂尼能在電影〈大地〉（Good Earth賽珍珠原著，獲諾貝爾獎的長篇小說）中飾演老中，我相信老中也能說標準英語！」凱倫補充說。

一九八六年十一月十日

廖東周辦洋務，談英語學習歷程

有良好的英文能力可以在事業上或學業上助長一臂之力，在美華人，能講一口流利標準的英文，加上雙文化背景，多半能出類拔萃、邁向成功。金山華人權益促進會公佈的民意調查顯示，「語言書寫溝通能力」是亞裔晉升主管的最大障礙，除了說明英文能力的重要性、影響力外，也說明了掌握它的困難性。

對於在台灣土生土長的華人來說，英文能朗朗上口、少有「外國腔」者並不算多。縱使在國外拿到大學文憑、來美也唸過碩士、博士的人，也常感到英語能力不足所帶來的壓迫感。

廖東周是少數英文很「罩」的老中之一，他今年只有卅四歲，是洛杉磯北美事務協調會專管「洋務」的祕書。

四年前廖東周自外交部北美司「外放」至洛杉磯，專門負責與美國海關、移民局、商務局等聯繫工作，凡是國內縣市長訪問團、姐妹市的拜會，也都由廖東周任中翻英、英翻中，而洛杉磯四年來的個人國慶酒會，也是他充任英語司儀，曝光率十分高。由於他一表人才、英語發音字正腔圓、翻譯迅速、用字得體，再加上對美國文化深入了解而產生的幽默感，很多人對他印象十分深刻，協調會本身更是重用他，凡是最重要的外交場合，廖東周必是輔助處長工作的第一人選。

在多次大型、面對政要的場合中，廖東周的即席翻譯能力很能表現出他深厚的英文基礎，例如在替余江月桂或外賓充任翻譯時，他常神色自如，在對方「忘形」講完一大段話後，可以正確無誤、不停頓、不漏句、不顛三倒四地把英文翻譯成流暢的中文，再把訪問團的中文，以信、雅、達的水準，傳遞給另一方。

採訪外記

廖東周一九八四年外放來美是第一次踏進美國國土，他從未在美國讀過大學，但對美國文化、文字的掌握遠超過許多留美放洋者，因此，他的語言學習過程及功力更令人好奇。

廖東周說，他從小在台中鄉下長大，初中開始天天收聽美軍電台，雖然似懂非懂，但對英文的音調與速度體會頗深，並且對音樂節目十分入迷，常三更半夜仍然開著收音機，在浴室裡也常拉開嗓門大唱安迪威廉等的出埃及記及其他情歌。從初中到高中畢業六年中，廖東周的聽力已有相當基礎，並且夢想有朝一日要做外交官，甚至還作夢與外國人打交道。

六年的「聽力訓練」再加上對英文的興趣常翻字典，使廖東周在上成大外文系時，對英文的理解「豁然開朗」，大二時美軍電台的新聞節目已大半能聽懂。

他認為自己在大學四年中「厚臉皮」的精神，使他對講英文絲毫不畏懼，參加「淘淘社」英語會話組更是一找到機會，就大發議論一番，從不怕「犯錯」。後進入輔仁大學語言研究所，更有機會與外國神父天天講英語。

大學畢業後，他在外貿協會做了兩年外貿刊物校對等的工作，隨即考進外交部，在總務司及北美司接待外賓時，常想盡辦法「練英文」，一有機會就找外賓說話，天南地北猛講一番。

他表示，自己在大學四年讀了很多文學作品，其中不乏馬克吐溫等的幽默文字，因此對美國人的思想及幽默也能體會。他同時研讀聖經、詩歌，也增加對古文學的修養。

儘管廖東周對「洋務」工作頗能得心應手，但是他自己仍然苦下工夫不斷進修，利用一大早及週末到大學選修經濟課程，瞭解國際貨幣金融、證券交易系統。他說：「現在的外交不再是宮廷外交，這是個重利的時代，大家都在談經濟能力，做個現代的外交官，一定要懂經貿。」

他認為做一個現代外交官也必須有豐富的常識，而這些常識最容易從報紙、雜誌得來，因此每天的閱讀可以充實自己的談吐與深度。

一九八九年五月四日

NBC名記者宗毓華不認同中國人？

全美發行的《亞美雜誌》（*Asi Am*）在十二月份刊物中，以國家廣播公司電視新聞記者宗毓華（**Connie Chung**）作為封面人物，並以「完美的女性」（**Ms. Perfect**）為題，撰文介紹她的生活、事業與婚姻。這篇長達四頁的訪問稿中，幾乎對宗毓華都做了正面的報導，但在文字最後，卻指稱宗毓華「對自己的亞裔血統感到不自在」，並對她不合作的態度加以指責。

撰寫這篇專訪稿的白人記者賽爾敦（**Isobel Silden**）在文中表示，過去兩年，《亞美雜誌》曾三度要求宗毓華接受訪問，但都遭拒到拒絕，而在最近七、八年間，宗毓華至少接受了十二家美國主流雜誌的訪問，而與亞裔有關的雜誌記者卻始終無法接近她。

賽爾敦指出，他在八月間有機會見到宗毓華並訪問她，到訪問快結束時，他表明自己代表《亞美雜誌》，宗毓華的態度立即改變，拒絕繼續合作，並不准記者攝影。「因此，《亞美雜誌》封面及內頁的照片，都是向另一家雜誌社Emmy購買來的。」

賽爾敦還在文中批評宗毓華不喜歡談論自己的亞裔血統，與她熱情、堅強的個性及成功似乎不相吻合。

這篇專訪稿中提到宗毓華曾於一九八七年訪問中國大陸，並見到她在大陸的親戚。回來後，她在公開場合問觀眾：「你們知道要在一個人民長得一模一樣的國家找到自己的親戚有多困難嗎？」賽爾敦認為宗毓華開口說此話是因為她難以與自己的亞裔血統認同，而顯然的，只是把它當成笑話來處理。

目前人在紐約的宗毓華在接受《洛杉磯時報》記者詢問時表示，她從未與《亞美雜誌》記者有過正式的個人訪問，她只是於國家廣播電台在洛杉磯主辦的一項記者聚會中與賽爾敦見過面，而賽爾敦所寫的報導內容，顯然都是來自她公開向每個記者所說的話。

宗毓華還表示，她拒絕與《亞美雜誌》合作，是因為該雜誌表現的族裔色彩太過濃厚（The Magazine's ethnic ties was "Crazy"。），她並澄清自己在過去也曾經接受其他與亞裔有關的刊物訪問。

《亞美雜誌》是由現年三十二歲的韓裔律師凱基（Tom Kazy）於兩年前在洛杉磯所創辦，全美各大城市均有售，發行量每月約四萬六千份。十二月號將於最近幾天送到市面。

一九八八年八月十一日

「香蕉人」看自己

「我過去在大學校園裡，看到亞裔學生從前面迎來，常會故意低著頭走過，假裝沒有看到對方。我後來覺得，似乎在別人尚未歧視自己前，我對自己的膚色已存有成見。」洛杉磯加州大學（UCLA）心理學教授趙美心九日在南加大亞太裔領袖培育會上，對學生演講時，剖析過去自己的心態時說：「我在美國長大，父母雖是中國人，但是我對中國歷史文化毫無瞭解，我甚至不曉得自己是誰，徬徨痛苦之餘，我開始選修有關中國文化歷史的課程、加入亞裔社團活動，漸漸增加了自己的歸屬感。」

趙美心表示，中國人的教育方式常常是負面的。尤其在權威至上下，父母管教子女，責備多於鼓勵；子女碰到不公平的事情，也不敢全力爭辯。

她說，在傳統束縛下，亞裔女性常被視為懦弱溫順的亞裔婦女需破除這種觀念，在說話或做事上，要拿定主意，拿出魄力，不要溫溫吞吞，動作舉止仍然像個小女孩。

她鼓勵亞裔學生，要勇敢嘗試，思考要靈活，對外來的批評要接納，認識自己的優點、缺點，將弱點轉變成力量。

南加州大學學生領袖之一華裔學生吳潔華表示，她自己的缺點是說話聲音太低微，很多白人學生甚至諷刺她：「我們聽不到妳的聲音，為何不乖乖地做一名溫順的亞裔女子！」

吳潔華在美國出生，高中時代讀的是白人為主的天主教會女子學校，很少接觸到亞裔學生，等她一上大學，才接觸到眾多的亞裔學生，而且，驚訝地發現，自己竟也被視為「膽小、文靜、不愛說話的外國學生」。

吳潔華目前以眾多票數當選為學生領袖，專門代表學校學生向校方爭取權利，並參加許許多多的課外活動。

「外表給人的印象是軟弱的，但是每當我站出來說話，分析道理時，常常得到大眾的支持，間接地改變對我的印象。」吳潔華說：「有能力、有理想的人是不應該沉默的，要大大方方地站出來，表達自己的意見。」

吳潔華參加學校課外活動曾遭到父母的反對，他們說：「妳是個學生，應該專心在課業上，課外活動並不適合女孩子參加。」吳潔華於是向父母親解釋，參加課外活動可以增加許多見識，增強自己的做事能力，將來出了社會，才可以像白種人一般，不受到歧視。

吳潔華表示，華裔父母較保守，總不希望自己子女太出風頭，安安分分做自己的事便成了。然而，現在的社會與過去大不相同，權利不去爭取，便形同放棄。

她表示，華裔女性除了要訓練自己做事主動外，更要有幽默感，在遭遇挫折時，才能愈挫愈勇，為另一個更大的目標奠定基礎。

亞裔聯盟主席湯尼・芮卡沙（Tony Ricasa）是菲律賓裔美人，他認為亞裔要從歷史及政治角度去觀察學習，美國是種族的熔爐，不同的族裔各有其奮鬥的歷史及成就的原因，作為亞裔尤其要特別觀察他們在政壇上的發展及方法，截長補短，知己知彼。他表示，學生在校時必須知道自己的權利義務，設法影響及說服決策者。此外，多聽取有經驗的人的意見，多與他們合作並訓練自己與各式各樣的團體接觸交往。

韓美聯盟主席鍾滕樹是唯一不在美國出生的亞裔講員，十五歲時移民來美，他表示，雖然已是美國公民，但要說服自己是美國人是一件不容易的事。

他說，有很多亞裔在美國境外出生，總仍舊忘不了自己是韓國人、中國人或日本人。這種種族意識，常常成為無法融入美國社會的藩籬。

他鼓勵亞裔學生突破心理障礙，既然未來要在此生根發展，便要積極地加入社團活動，讓白人刮目相看，證明亞裔並非弱者。

一九八五年三月十二日

在密蘇里大學讀書的經驗

劉家符先生曾在《美洲中國時報》生活版發表一篇〈活到老學到老〉的短文。文中提及他學英文的方法及過程。劉先生表示在每天辛苦利用十二個小時讀生字、背課文，背成語後，仍然無法看懂《時代雜誌》、《讀者文摘》或一般性的報紙。他認為毛病出在自己認識的生字太少（九千字），應該多背一些生字。我贊成生字認識得多，可以增加閱讀及理解能力，至於學英文的方法，我有一些不同的經驗及看法。

一九八一年我進入密蘇里新聞學院就讀，課業上的壓力很重，而大部分是來自語言上的困難。開始在英文的聽、寫、說方面一直有很多的障礙，上採訪課時，常常手心冒汗、緊張異常。當初教採訪學的指導老師是一位年輕的黑人教授，他講話時，嘴巴幾乎不張開，並且速度極快。聽他講課，十分吃力。

每天上課前，每都會要求同學自由發言，對當日或隔天新聞發表意見。至於討論的問題，由總統大選到女權運動到學生酗酒肇事，天南地北，不一而足。老美學生的反應一向很熱烈，並且很有參與感。有時候，聽到自己感興趣的話題，也想舉手發言但常常是心跳加速，手腕無力，硬是沒有膽。

有時聽老美學生辯論台灣海峽兩岸及香港問題時很想張口說些話，但是怕自己說得不對或對事情不夠瞭解或表達不出真正的意思而作罷。那時的心情就像是聽兩個鄰居站在自己家門口，為了自己的家務事爭吵不休，而你只能莫名其妙的待在家裡一言不發。我後來反省，覺得英文表達是一回事，真正無法讓我啟口的原因，實在是自己所知太少。

語言學家證明，瞭解文法結構、背誦生字與說一口流利的英語沒有直接的關係。換句話說，單獨的背誦文法、生字並不能保證可以說好英語或看懂雜誌。這也說明，為什麼死背生字，卻一點效果也沒有。更重要的一點，語言是思想的產物，沒有政治、歷史、文化、生活習慣等知識背景做為參考資料，學語言本身毫無意義可言。

背單字，再讀文章常是本末倒置的做法。

英文新字天天在增加，有些字字典裡根本找不到，想要真正了解英文，除了與社會多接觸外，看最新的雜誌書籍是最直接有效的方法。

想要多知道美國人的日常用語，除了電視、廣播、報紙、雜誌等可以做為媒介外，讀兒童刊物，未嘗也不是個好方法。

記得我在修兒童文學時（小學三年級至八年級，八歲至十三歲左右的課外書籍），指導教授規定我們每天必須讀完一本書，並且做讀書報告，一學期最少要完成八十五本書，這些書中必須包括科幻小說、人物傳記、神話故事、歷史小說、詩集及寓言等。我自己選擇的書多半是得過全美兒童文學作品獎，有些是我以前用中文閱讀過的。例如：《灰姑娘》、《小婦人》、《小王子》、《金銀島》、《小飛俠》、《愛迪生的故事》、《愛麗絲夢遊仙境》等等。這些書有些富於哲理，有些標榜正義，有些卻只是日常生活的記載。但是他們皆有一個共同點——多半是由對話寫成。由於書是寫給年輕兒童的，筆調輕鬆自然、內容生動幽默，沒有教條式的訓誡，也沒有過於嚴肅的場面，從對話中可以學到許多日常慣用語與字彙，最重要的，可以欣賞許多好的文學作品。

在英文寫作方面，常常是自己最弱的一環。我以前總認為寫作要有一定的格式及結構才符合標準。有時我在寫英文信時，沒有參考資料，便很難下筆。後來我在修英文寫作教學時，指導教授用的方法及觀念與我的正好相反。他強調文字主要功用，在於溝通，能把自己的想法具體表現出來才是最重要的，每個人寫作有不同的格調，空洞地模仿格式沒有必要，況且沒有內容，等於沒有靈魂。

他要求我們天天記日記，針對某一個特別的事或物做描寫，並且用不同的語調來寫（例如說服人、罵人、安慰人、對話等等），每天練習十分鐘，十分鐘內盡量不要停筆，就算是沒話說，也可以寫上「我沒話說」，直到其他字眼再出現腦中為止。這種方法可以治療學生對白紙的恐懼感，練習久了，也能增加自信，勇於用自己的文法去表達心中的意思。

這堂課還有許多寶貴的意見及方法，可以用來學習寫作。但是至目前為止，對我最重要的影響是：我可以開始用英文寫信像中文一樣的文思泉湧、自然愉快。

在學習語文的過程當中，我認為環境所佔的地位相當重要。例如在美國學英文就比在西班牙學英文容易得多，因為很多資料唾手可得，人與人正面接觸是最有效的學習方法，其他如逛超級市場、看電影、看報紙，只要有心學習，這些都可成為研究的對象。

有本書提到以英語為第二語言的學童，在學英文時分為三個階段：一、建立與英語為母語學童的關係。二、嘗試用各種方式溝通。三、正確使用英文。很多三、四歲隨父母來美生活的孩子，在短期內便可說口流利的英語，而有些來美留學的大學生，兩三年下來，還是不敢開口。

其實小孩與大人學語言的過程很相似。但是小孩子比較不怕犯錯，沒有太強的「自尊」，並且學習的環境也比較輕鬆自然，在嘻笑玩樂之間，自然可以學到最基本實用的語彙。

要學好語言，我認為不光只是學習語言本身，而是要配合整個文化。理解不同的社會層面，文字本身才有意義。語言是個媒介，目的在溝通人與人間的思想。假如把語言當成最終的學習目的，那麼學語言本身反變成了一種負擔與桎梏、無法從中得到快樂與收穫。

我以為學英文就像認識一個朋友，一回生、二回熟。文字認識久了，用得多了，便會變成活的工具。《時代雜誌》並不難懂，難的是如何持續不斷、養成習慣去接觸它、瞭解它、重複地親近它。看懂大意是最重要的，抓住重要字彙（Key words）去學習，千萬不要先埋頭去查每一個單字，再去唸整個文章。只要看習慣了，久而久之，《時代雜誌》終會成為好朋友的。

第四部

無所不談

性教育在美國

十三歲的華裔小男孩第一次在學校上完「性教育」（Sex Education）的課程回家，興奮地告訴爸爸：「我終於知道人是怎麼做出來的了！」

其父不經意地問：「哦，怎麼做出來的？」

小男孩很有心得地答：「做愛呀！」接著，他要求父親針對這個主題再提供一點「細節」。

這位做父親的，並未馬上露出大驚小怪的神情，他反而來一次機會教育，將孩子對性的疑問適當地做解答，並解釋：「性是神聖、隱私的，不可以在公共場所隨便把一些特別的字眼掛在嘴上。」

這是南加州大學醫學院教授及精神科成人住院部主任畢新東的實際生活經驗，他利用家中的人體解剖模型，把一些健康的性觀念及知識，趁機有效地灌輸給孩子，讓他在對性產生好奇的最初階段，便開始有正確地認知。

但不是每位家長可以像畢新東一樣「輕鬆過關」，有不少父母對子女提性問題會感到困窘，最常用的說法是：「你長大以後便知道了！」甚至有的父母會把孩子罵一頓，不准小孩再繼續「胡思亂想」。

在中國的傳統社會，子女的性知識並不來自父母，大部分的青少年，都是先在學校的健康教育或生物課程上，了解基本的人體構造、器官，至於對性愛更深一層的知識，多半來自小說、書籍、電影或朋友間的相互傳遞等。基於中國社會的道德倫理約束力及父母的權威性高，青少年往往靠自己對性的一知半解從事「第一次的探索」，女孩子若「運氣不好」，懷了孕，或許又墮了胎，恐怕身心及事業前途都會受到莫大的影響及衝擊。

在自由開放的美國社會，青少年有更多的機會去接觸與性相關的資訊，電視、電影及流行音樂常常會出現一些令人吃驚的內容。舉例來說，青少年搖滾樂偶像——電影〈紫雨〉（Purple Rain）中的男主角王子（Prince），他的金唱片出版以來，至少賣掉一千萬張，其中有一首歌曲〈親愛的妮基〉（Darling Nikki）是這麼寫著：「我認識一名叫妮基的女孩，你可以說她是一名色魔，我在一所旅館大廳見到她時，她正用一本雜誌進行手淫。」

（I knew a girl named Nikki/Guess you could say she was a sex fiend/I met her in a hotel lobby/Masturbating with a magaizne.）

又如另一名少女青春偶像瑪丹娜，她的類似內衣的穿著及表演動作及歌詞，也都充滿著性的暗示及挑逗。

此地的華人父母，就算不讓孩子接觸搖滾樂、成人電影，他們仍然有許多機會「被帶壞」。

美國現在是西方世界國家中，未婚懷孕少女比例最高的國家，根據Harriss一年前的問卷調查，美國滿十七歲的青少年男女中，至少已有二分之一以上有過性經驗。紐約Syracuse大學的另一篇報告則顯示有百分之八十以上的女性及百分之九十五以上的男性在婚前已有性經驗。

儘管統計報告取樣上的不同，並不能代表全面，但華人父母卻不能不留意孩子在成長過程中，學業不是唯一重要的事，他們對性的認知往往會影響未來婚姻及家庭幸福。家長必須對子女的性教育予以重視及關心。

舊金山加州大學心理衛生及老人護理學博士、洛杉磯加大精神科及心理衛生護理教授田李金玉便表示，父母對子女的性教育有最大的責任及影響力，他們在與子女討論性問題時，事實上便是溝通自己的價值觀。

目前在洛杉磯自行開設心理治療診所並在調頻電台主持心理衛生節目的田李金玉說，她的許多治療對象都是在年輕時對性沒有正確認知而導致成人後在自信心、男女交往、性生活、職業等問題上產生困擾者。有一名十六歲日本女孩子在懷孕後，決定生下孩子，但因為該少女有吸毒的前科，小孩生下來後不斷有抽筋的現象。這種胡里胡塗生孩子的案例並非少數。

「現代父母想要完全控制青少年的行為已經不大可能，特別是離婚、同居、單親父母愈來愈多的情況下，父母若無法以身作則，孩子只有變得更糟。」田李金玉表示，父母親不在身邊的小留學生在面臨性的問題時則更容易產生困擾及挫折。

她認為父母應該指導子女如何去拒絕外界的引誘，尊重自己的身體，同時把從事性行為的利弊說給孩子聽，讓孩子自己去想清楚做決定，而不能一味「逼」孩子聽從權威，否則只有造成反效果。

灣區亞太心理衛生服務中心（Costal Asian Pacific Mental Health Service）兒童心理學博士葉吳慶宜認為，在美國由於各種媒體不斷地刺激，會讓孩子對性的問題產生很大的壓力及疑問，特別是許多美國高中生習慣對「沒和人睡過覺」的同學產生「歧視」，稱之為呆子、蛀書蟲或怪物，讓孩子更覺得不自在或誤認自己有毛病。

「再保守的家長都需要改變態度，耐心及細心地觀察孩子，與孩子溝通，千萬不能讓孩子自行摸索。」葉吳慶宜表示，她本身是基督教徒，觀念也較保守，認為婚前保持完璧更能維持幸福的婚姻。

她說，談「性」的問題絕不能與「愛」分開，當父母在向子女解釋其中的相互關係時，應強調性是愛的終極表現，也只有兩人彼此相愛至深，希望永遠生活在一起時，才應該開始性的行為。

但對於「已非完璧」又未婚的青少年男女來說，也不見得就永遠要遺憾一輩子，在一份初高中性教育教材中有一篇文章叫"**Virginity Regained**"，它指出，人類對性的渴求，往往是尋求被接受、愛與安全的感受，但要被別人接受、被愛、擁有安全感，卻不需要經由性的途徑。青少年期對性常有衝動及渴求，可以藉由其他活動來滿足。對於已有性經驗的青少年，他們並不一定從此就要成為性的奴隸或一再犯錯，他們可以有「第二春」（**Secondary Virginity**）。

葉吳慶宜說，在美國的學校沒有德育這一科，往往要靠宗教的約束力，因此家庭所扮演的角色及對孩子道德觀念的影響便十分重大。

洛杉磯阿罕布拉學區馬凱博高中有半數學生為華人，擔任訓導主任的黃杜英慈說，許多學生背著父母與人發生性關係，他們常常來自無法溝通或父母不合的家庭，而同人發生性關係常常是一種情感的轉移。她發現學生中有同性戀傾向者更易產生罪惡感，若沒有學校、家庭相互的配合及輔導，孩子則無所適從，易產生不必要的煩惱或悲劇。

目前美國有些公立學校從六、七年級開始便提供性教育課程，學生是否被准許上課，需要父母的簽字同意，有些學校則邀請父母先看過預備好的教材及電影，聽家長意見後再教給孩子，另外有些則要求父母與子女一起「做作業」，共同探討性的問題。

雖然美國有許多家長贊成學校開設性教育的課程，但對於所教的內容、教師是否合乎資格產生疑慮。畢新東教授便說，他對學校太早教學生避孕的方法有點顧慮，因為可能讓年輕的孩子產生一個錯覺：「只要不懷孕，性交並非大不了的行為。」

畢新東強調，美國公立學校開設性教育課程的影響是好是壞都還在辯論的階段，華人父母親更要謹慎及提高警覺，注意孩子的身心發展過程，同時自己若對性的知識並不十分瞭解或有疑問，則更應該找專家協談或找專門的書籍閱讀，幫助自己，也幫助孩子。

一九八四年四月廿七日

墓園裡的「中國城」

生、老、病、死是人生必經之路，對「落葉歸根」觀念強，但又不得不做「終老他鄉」打算的華人移民來說，在美國有一塊適當的最終安身之地，顯得意義深長。再加上中國人保佑後代子孫及傳統強烈的民族觀念，在加州地區，凡是風水好、有中國人葬在一起的「龍穴福地」預售地，都隨著移民的增加及觀念的開放，變得十分搶手。

由於近年來購買福地的風氣很盛，有的墓園為了「招徠」華人，特聘華人雙語職員為其服務，有時還會組「墓園觀光團」，利用週末假期，免費供應午餐，將客人帶到墓園做一、兩小時的「旅遊踏青」，及解說墓園的各項服務。

近二、三十年來，由於美國的墓園公園化，早年使用豎起來的石碑，多半已改成鑲崁在地面的銅牌，再加上細心的規劃、修護管理及特殊景觀設計，往往五、六十畝大的墓園，遠看起來像一般高爾夫球場，並不會讓人有毛骨聳然的感覺。也因此，很多華人在參觀過整齊美觀的墓園後，心情反而輕鬆起來，而較能接受墓地預購的觀念。

據北加州最大的“Skylawn”墓園聘請的華人顧問周麗麗說，中國人在看墓地或骨灰塔時，往往都要請風水師一同前往，有人就專門從香港請人坐飛機特來加州看骨灰塔的位置或請風水師夜晚十二時測定墓地是否「安靜」。該墓園也為了配合中國的風水，居然花了十萬元移動一根電線桿。

周麗麗表示，由於中國人入土為安後，都希望有親戚朋友陪伴，因此預購福地通常是全家一起買，或朋友一起買，少有人會願意和其他族裔「混雜」在一起而使「身後寂寞」。

這種「劃分界線」的現象，幾乎在加州許多墓園內皆會見到，例如“Skylawn”之內的「百齡園」，約有兩嘝地，其中有一千九百多個單位，專門提供給港、台來的新移民。由於大部分已賣出，該墓園也正在興建另一處「華人公園」。

離金山華埠很近的「活倫紀念墳場」（Woodlawn Memorial Park）業務顧問馬偉能也表示，該墓園專門劃有一塊地，可容納二千個墓穴，這塊地名稱也叫“Chinatown”，全由說廣東話、國語的中國人買去，其中已有一半入葬，一半虛穴賣出。他表示，由於需求量越來越多，該墓園同樣已另闢一處可容納三千個墓地的所在供華人使用。

他說，由於中共不准華僑將骨灰運回大陸，很多老僑只得在美尋找死後安身之地，但因終其一身受到白人歧視，他們也不願死後與白人葬在一起。「事實上，十七、八年前，活倫墳場還不准中國人進去。」

馬偉能指出，為了方便祭拜，許多新移民反而把親人的骨灰移靈到美國，這種現象，從香港、台灣及大陸來者都很多。

馬偉能是金山中華會館及寧陽總會館董事，移民來美四十餘載，幫助過無數的朋友料理後事，他自己也早在十年前，為家人購買了十二個單位的墓地。他認為，早點準備，有益無害。

據了解，購買一塊福地的價格，根據地勢，從九百多元到六千多元不等，銅碑等的費用在八百元以上，加上一千六百元安葬費、棺材、石棺、政府登記費等，辦一個喪禮，最起碼要花掉一萬元。

馬偉能指出，很多家庭沒有做事先計畫，常在意外發生時張惶失措六神無主，加重生者的負擔，儘管政府會負擔窮人的安葬費，但往往安葬地點在二、三十年後會被移動到他處，無法永久葬在一處。

"Skylawn"墓園亞裔部經理柳安表示，預購福地可以用分期付款的方式付清，頭款付百分之廿五，其餘可在五年內付完。她認為這種事先計畫的方式，除了可減輕突然而來的負擔外，往往對「有備而去」的人會減少對死亡的恐懼感，並且有安心的感覺。

柳安說，過去有些癌症病人或年紀較大的老年人在參觀完墓園，決定自己永久安身之地後，常有一種「解脫感」，他們在知道自己死後會身在何處而感到慰藉。

過去做房地產的柳安指出，墓地與房地產都會增值，由於臨近中國人聚集的墓園已都禁止再開拓，有些「區較好」的墓地價格每年也以百分之十至十五的漲幅向上成長。

是否有人會趁機在墓園炒地皮來營利？柳安表示，由於墓園多半是由公司董事會管理，一般不會大量賣給有意圖利的商人。但墓園管理委員會並不禁止福地轉售，若有人買下福地，但搬至別處，墓園也允許與其他墓園「交換」。她說，根據該公司最近統計，過去在其墓園預購福地者平均在十七年至二十年後才用得上。

柳安及周麗麗兩年前開始向華人介紹福地時，曾被人指著鼻子破口大罵，或以電話、書信威脅之，有朋友在知道他們做此「特殊行業」時也敬而遠之，但長期以來，由於他們抱著做善事的心情，對華人提供了許多協助，反而交到不少朋友。

一位剛為自己購買福地的華人說：「看到自己未來埋葬的地方，反而有種征服死亡的快感！」

一九八九年五月廿一日

採訪外記

曾經在"Slaylawn"墓園走過一圈，印象最深刻的，是一處安葬嬰兒的墓區，幾十塊墓碑旁的草皮上，放著盪秋千的洋娃娃，有彩色亮麗的風車有別致的玩具小花叢，相信這些小玩具都是爸爸媽媽送給出世不久即遠離人世的嬰孩。據說，不少是早產或得癌症的嬰孩及幼童。

曾在遠處看到一名年約三十來歲的男子跪在一塊墓碑前沉思，時而用手去摸墓碑及撥弄草皮，想必是思念自己的孩子吧！

墓園內有一室內儲藏棺木的地方，棺木是「插進」牆裡頭去的，外表用大理石封起來。大理石牆上的銅碑像一塊獎牌釘在主人的棺木外，寫著生死日。整面牆切割成整齊的方塊，從天花板到地上，大約可插入六、七具棺木。這種公寓式的安葬處，聽說是從義大利引進來的。

「導遊」曾經告訴我，為了節省空間及費用，葬在土裡的棺墓有些分成上下兩層，據稱有些在一起打麻將的媽媽在參觀墓園後相互開玩笑：「以後你睡上面，我睡下面，將來到了陰間，還是可以做牌搭子。」

美國墓園「中國城」的興起，還與語言相關，有些不說英文的老年人怕未來到了陰朝地府，又再碰到「洋鬼子」，無法溝通，因此堅持挑「中國城」居住，他們十分相信死後靈魂仍然存在。

參觀墓園後，感覺人生短暫，應倍加珍惜。百年後，沒有人可以逃過死亡，有生之年，應該多做有益的事，功名利祿轉眼即逝，人與人的爭端看起來也很幼稚。常想：在這世界上太過成功自傲或太過失敗潦倒的人，應該到墓園走一走，眼界會看得更遠，生活會比較平衡、正常。

南加州的馬殺雞

利用馬殺雞從事色情交易，在南加州，特別是包括洛杉磯市的聖蓋博谷區，已形成氾濫的現象。以「指壓」之名，進行非法營業的指壓按摩院，幾乎已滲透到每一個角落。

亞洲移民聚集的幾個城市中，例如聖蓋博市、阿罕布拉市、亞凱地亞市、洛杉磯市等，就有好幾家指壓院被吊銷執照及強迫關閉。在老中聚集的蒙特利公園市，警方的亞裔特勤小組也十分注意及抽查指壓院營業的合法性。另外像南巴沙迪那、聖馬利諾、**La Canada Flintridge**、**Baldwin Pari**等城市也都規定開設指壓院必須獲得特種許可及無前科紀錄。有些則規定指壓院不可反鎖大門及房間。

不少指壓院在一個城市被關閉後，會再轉移到另一個城市，令治安人員抓不勝抓。

在一些華文報紙中，指壓院所打的廣告，專以圖片誘人的美女為主，廣告文字更是露骨地表達了指壓院的「功能」。

例如：「新開幕！青春美女，指功道地，全身按摩，包君滿意」、「親切隱密安全、青春美女雲集」、「各國佳麗、一流技術」。

在指壓業中，不只有以中、日、韓美女為號召者，以金髮碧眼美人打廣告的按摩院也四處林立。廣告中不但有「到府服務、收簽帳卡」，更有「按摩師」的三圍尺寸。西方美女的照片更是裸體相見，大膽至極！

據洛縣警局警官布爾特的看法，不法指壓院大行其道的原因，是這一個在東方興起的行業——指壓，對美國執法單位來說還是一項新鮮的東西，許多城市在發現「異象」時，不得不採取辦法來控制色情傳播，有些則把過去對按摩院的法規拿出修改。但是遭到「池魚之殃」的一些合法經營指壓院在被連累之餘，也大嘆倒楣。例如就有華人業者被迫重新申請營業執照，還要符合市府提出的新條件，感到煩惱不堪。另外有些指壓師受到「盛名」之累，有些顧客上門，居然主動要求做「額外服務」。

事實上，「指壓」與「按摩」有很大區別。指壓是針灸師的專利，有執照的針灸醫師才可以為病人做診斷治療。而針灸醫師需經過四年的專業訓練才可取得執照。

按摩師根據各城市的法規不同，只需要接受六個月至九個月的短期訓練，按摩師本身不可做診斷，而必須根據針灸醫師處方進行推拿。

一九八七年七月廿五日

U－二・莊人亮

他不曉得這一趟任務是否就從此結束生命，但依慣例，他在前一天晚上把遺囑寫好，放在抽屜。服下一顆安眠藥後，他鑽進被窩，準備「好好睡一覺」，黎明時，將面對一次出生入死的任務。

一九六六年，莊人亮廿八歲，自中華民國空軍官校畢業，他是被送到美國亞利桑那州吐桑空軍基地受訓的優秀中國軍官之一。他也是少數駕駛U－二偵察機，深入中國大陸探測中共軍事機密而生還者。

U－二偵察機是美國洛克希德飛機公司製造的一種極精密的軍用偵察機，用來進行空中照相，搜集敵軍情報。該機造型特別，與七三七噴射客機一般長，但機身很小，可飛行至七萬呎以上，整架飛機均塗以黑色，防止雷達探測。

美國於一年前首次在華府最負盛名的國家博物館Smithsonian展出U－二偵察機，該架飛機正是中華民國空軍少校莊人亮所駕駛。除了展示飛機外，莊人亮駕機在雲南昆明上空執行任務，逃避中共地對空飛彈的事蹟也在博物館展出。

日裔航空藝術家Shigeo Koike為莊人亮的昆明任務繪製了一幅〈回航〉（Turn for Home）。該圖所描繪之偵察機前的兩道白煙，正是中共所發射的地對空飛彈，莊人亮當時不但可用肉眼觀察得到，偵察機內敏感度極強的照相機Q-Bag也將實況拍攝了下來。

現定居在洛杉磯的莊人亮，回憶二十多年前的情景，恍如昨日，歷歷在目。他那時已結婚，出任務前，只告訴妻子要出差，一、兩個月內不會回家。

上飛機出任務前，有幾個老美幫著莊人亮穿上衣服，由於偵察機飛行七萬呎高（民航機約在四萬呎左右），為了抵擋高空壓力，保護身體，需要穿著一種特製、類似潛水的緊身衣，連手套內都灌有空氣。「上機前，替我穿衣服的人都會多摸我幾下，令我感到很不舒服，像從此永別一般。」莊人亮說，在每次執行任務前，他都不存僥倖心理，因為他了解高空中的艱險及地對空飛彈的威力。

莊人亮表示，他總共完成十次任務飛行，平均一次時間長約七、八小時，有些達十小時。「我必需按照計畫好的航線飛行，飛機內的設備為全自動，晚間則會自行用紅外線拍攝。」莊人亮說，他在閃躲地對空飛彈或中共米格機攔截後，必須回到原來的航線，繼續執行任務。

由於執行任務的時間很長，莊人亮說：「起飛前都會吃一種牙膏狀的興奮劑保持頭腦清醒，飛行中每三十秒，地面指揮中心都會呼叫一次，指令做一件事，來保持全神貫注。」

在執行任務的七、八小時中不能吃任何東西，起飛前要吸兩個小時的氧氣，因此在執行任務前都必須吃牛排，塞滿肚子。莊人亮說，由於任務常可能因天氣等因素而取消，他曾經連續吃了十一天的牛排，睡了十一個晚上，才飛上天執行任務。

莊人亮一九六四年在美國接受了八個月的密集訓練，其間他曾目睹受訓人員喪生，他十次任務在兩年半內完成，之後便在美國工作及定居。他表示自己是第十七個飛完任務者，其中有六個人仍然活著，有些做了華航機長。

一九七八年中美斷交後，美國U—二在台計畫結束，目前U—二偵察機仍然用在軍用及探測天氣。莊人亮表示，飛過U—二的中國人共有廿五人，U—二在全世界只有五十多架。

據博物館陳列的說明書，美國空軍軍官**Francis Gary Powers**於一九六〇年五月一日駕駛U—二在蘇聯領空偵察時被打下，跳傘後被蘇聯囚禁了許多年，當蘇聯釋放他回美時，

日裔航空藝術家爲莊人亮的昆明任務繪製一幅「回航」圖。

鮑爾受到英雄式的歡迎，當時曾為新聞媒體爭相報導。

在該事件後，台灣的桃園空軍基地開始展開偵察中共軍機的任務，並且從不同國家的基地起飛著手進行各項偵察工作，包括偵察中共核子試爆基地及火箭發射基地。

一九六二年九月九日，由中華民國軍官駕駛的U－二偵察機首次被中共打下，一九六三年十一月、一九六四年七月及一九六五年一月相繼又有三架U－二被擊落，北平的博物館還於一九六五年八月公開展出「戰利品」四架擊落的U－二偵察機。其中生還的兩名中華民國空軍被中共關了十八年，經香港輾轉來美。

許多二十多年前空軍的塵封往事隨著日裔畫家Shigeo koike的彩筆又再度顯現出來。這幅描寫莊人亮從昆明〈回航〉途中遭截的畫，目前已在全美許多博物館及圖書館展出，現年五十歲的莊人亮說：「希望藉著這次機會讓為國犧牲的夥伴們永遠得到追念！」

一九八八年四月六日

蔣夫人宋美齡盜國寶？

在國內外鬧得滿城風雨的「翡翠西瓜」，用美金一、兩塊錢便可買到？沒錯，美墨邊境一家禮品店的「阿米哥」看到台灣的一名商人將店裡的九片玉石西瓜一下子都買走時，樂不可支，還直呼：「今天生意真好做！」

也許這些「西瓜」不是慈禧太后當年的陪葬品，也非傳聞中故宮流失被竊的國寶，但形狀卻與兩個月前在洛杉磯曝光，被認為是真品的翡翠西瓜神似，手工有異曲同工之妙。

自從洛杉磯的玉瓜在洛杉磯出現被此間中文報刊載後，國府立法委員吳淑珍特向行政院提出質詢，要求公開鑑定這塊「西瓜」，她同時在早先一次質詢稿中，聲稱故宮玉瓜「被某家族人士盜走」，使翡翠西瓜案變成一場「政治事件」。

石頭西瓜放在盤子中有如眞西瓜。

由於玉瓜受到重視，被稱為「以數百美元買進」的洛杉磯翡翠西瓜身價一時變得不凡，甚至有「日本商人出價二十萬美元購買」的說法。

而現在，類似的玉瓜居然大量出現，翡翠西瓜的「身世之謎」實在耐人尋味。

買到九片「西瓜」的人是來自台灣的八重洲有限公司負責人陳宏，他因考慮在美墨邊境設廠做生意，不久前至德州邊境的一個墨西哥小城視察，在偶然機會中發現這些像西瓜的玉石。

陳宏說，他在台灣便聽到有關翡翠西瓜的傳聞，也看過報上刊載洛杉磯玉瓜的彩色照片，他萬萬沒想到會這麼湊巧碰到這些「奇石」。

「這九片西瓜中，有五片比較大，每片各兩元四角兩分，四片小的，每片一元八角六分。」陳宏說，當他只花了十九元五角四分美金買下店中九片「西瓜」時，暗中覺得有趣，他開玩笑地說：「我回台灣改行賣『西瓜』，恐怕要發一筆橫財囉！」

仔細端詳這些玉瓜，外型除了有六分之一片外，也有半片者，有的瓜皮略呈暗褐色，像極了放久的「爛西瓜」，到底這些玉石是否自然天成，是需要專家進一步查證，但據一名古物收藏家的看法，如果一片「西瓜」只賣一、兩元美金，有可能該地盛產類似的玉材，並容易切割，當地人司空見慣，賤價賣給遊客。

根據一九八六年《故宮文物月刊》第三卷第十二期所載，傳說中慈禧太后陪葬的翡翠西瓜，是外綠內紅同時呈現在同一塊晶體上的電氣石（Tourmaline），在美國有多處產地，而加州聖地牙哥也有各色俱全著。這種被稱為「不貴的玉材」，產地還包括西伯利亞、錫蘭、緬甸、非洲坦桑尼亞及西南非。

據了解，當年慈禧所有的那兩塊翡翠西瓜非常精緻，而且西瓜子是天生的，但它們的長像至今無人確知，但是可以確定的是，普通人想擁有一塊類似西瓜的石頭，似乎並不困難！

一九八九年一月五日

採訪外記

由於「翡翠西瓜」在洛杉磯出現有人趁此製造蔣夫人宋美齡盜走玉石來美的傳聞。從台灣來美做生意的陳宏發現這些玉石後曾感慨地說：「要陷害一個人是多麼容易。」

《人民日報》抄襲《世界日報》 膽子够，技術太差！

一九八七年一月十一日在《世界日報》刊登洪天水先生對山地木雕之重要及獨特的研究後，《人民日報》識貨地予以「轉載」，不同的是在文前冠上「記者劉開宸報導」。在洛杉磯地區，也有一些所謂的「社區報紙」目的是在賣廣告賺錢，據一位書店老闆說，每天清晨，某小報的編輯都會去買三份報——《世界》、《國際》及《申報》，然後回去剪剪貼貼。第二天的小報上，記者的名字均被去掉，改用「本報訊」，而內容則一模一樣。

有記者對此很氣憤，有人一笑置之，有人則說應該「告他」，這種抄襲的惡風實不可助長，而抄襲的方式可真是「膽子夠，技術太差」！

一九八七年一月十一日《世界日報》報導如下：

「台灣山胞先民係來自中國大陸的移民」，這項結論由美國易經考古學會會長洪天水經過四年考據，在洛杉磯宣布後，立即引起此間學術界的注意。他根據台灣中央研究院收藏的一塊山地木雕，發現上有四千五百年前《易經》「損卦」的全部經文，及兩千年前即已亡失的上古河圖、洛書及樂津天文等寶貴資料。與該研究有關的圖片及論文經過整理後，在美國、台灣、日本等地發表。

中央研究院所藏的木雕於卅年前在台東大南村被發現，一般看到其複雜的雕法都望而生畏，並朝向迷信方面作解，有人認為是用來避邪，有人說是與宗教有關的神物。其特徵是所有人像皆張大口及吐舌頭。

洪天水根據他十多年來對《易經》、音律、數學、天文等研究知識，及搜集世界各地古物心得，他確定該木雕是上古圖像文字，為一幅笙樂吹奏圖。木刻上的舌頭是笙的簧舌，中間的小孩是古文字的「損」字，用來表示笙樂吹奏時，音位的調整控制，而全盤做為和聲及歲差修正的種種說明。

洪天水說，過去有人推論台灣山地人來自馬來西亞或來自中國，但是沒有足夠的文史證據，一直尚未有定論。這塊木雕的解釋，除了可以證實台灣先住民祖先來自中國外，更可以填補中國上古史有關數學，音響物理學及天文學的一大空白，並在《易經》研究上得到有根據的解釋。

為了使研究具高可信度，洪天水曾將其考據內容及結果與數學、音樂、天文等學有專長的中外學者集會討論過，並得其印證。中華民國易經學會理事長黎凱旋教授也曾親自來美做鑑定的工作。

洪天水考據這塊木雕為顓頊帝的廟貌，顓頊帝乃黃帝之孫，距今四千五百年，史籍記其在位時，作樂修曆。其所修訂的曆法，世稱顓頊曆，又叫盈虛曆，是古六曆之一。其十九年七閏的算法，乃構成中國後世治曆算法的基礎。洪天水表示，根據雕版的治曆說明，中國天文學發源甚早，以往有人認為顓頊曆乃托古而作，及中國天文學來自西方等說法皆不攻自破。

「這塊雕版記載著中國和聲學研究，四千五百年前的中國人，在音響物理方面，已知道四度、五度、八度為純協和，又認識三度六度為協和可行，二度、七度不協和之不可行，並提出可行的解決辦法。」曾在日本深造，對音樂有相當造詣的洪天水表示，該木雕還包括和絃三音左右著陰陽和絃的性能，及陰性和絃轉入陽性和絃作為靜止，有安定感的種種發現。

洪天水說：「這些記錄正是現代音樂大學和聲樂課程之首課教材，西洋出現這種程度的和聲學是近五百年的事，而中國至少早了西洋四千年。」

根據木雕上的河圖洛書資料，洪天水指出，該圖形方位排列法，未在任何史籍出現過，其亡失已超過兩千年，其左旋作「卍」字則成九宮洛書，此不但解決歷代對該記號之謎，也證明中國九宮並非傳自希臘。洪天水表示，易經損卦必須根據和聲方能解釋；按史籍查對，自漢以來各代經學家，未發現有根據和聲而注解損卦者，足證其原義亡失已久。今與周易對照，除了六爻秩序不同外，其他意義全部吻合。

一九八七年一月二十四日《人民日報》報導如下：

【本報紐約一月二十一日電】記者劉開宸報導：美國易經考古學會會長洪天水最近在美國洛杉磯宣布，根據他的研究結果，台灣發現的一塊木雕足可證明「台灣山胞先民係來自中國大陸的移民。」

三十年前，台東大南村發現一塊山地木雕，上有四千五百年前易經「損卦」的全部經文和兩千年前已亡失的上古河圖、洛書及樂律天文等寶貴資料。

洪天水確定該木雕是上古圖象文字，為一幅笙樂吹奏圖。木刻上的舌頭是笙的簧舌，中間的小孩是古文字的「損」字，用來表示笙樂吹奏時，音位的調整控制，而全盤做為和聲及歲差修正的種種說明。

洪天水考據這塊木雕為顓頊帝的廟貌，顓頊帝是黃帝之孫，距今四千五百年，史籍記其在位時，作樂修曆。

洪天水說，這塊木雕的解釋，除證實台灣先民來自中國大陸外，還可填補上古史有關數學、音響物理學和天文學的一大空白，並在《易經》研究上得到有根據的解釋。

洪天水係華裔，對《易經》、音律、數學、天文等深有研究，平時還喜愛搜集世界各地古物。

奧斯卡音樂作曲得獎人蘇聰幫人洗脚？

因〈末代皇帝〉得到奧斯卡最佳電影音樂作曲奬的蘇聰，在澡堂作「浴公」，幫人洗過腳？《人民日報》海外版報導他在文革期間為人洗腳的落魄狀況是否屬實時，他啼笑皆非地說：「我是過過苦日子，但還不致淪落至此。」

他解釋說：《人民日報》在他得到奧斯卡提名後，的確訪問過他，而編輯為了達到「教育大眾」的目的，要求將蘇聰的過去寫得誇張一點、苦一點。

雖然是「好意」，但對這種不實的報導，蘇聰仍然「敬謝不敏」，沒有同意該報的建議。

儘管如此，蘇聰在正式領取奧斯卡奬後，《人民日報》還是為蘇聰的背景增加了色彩，試圖為大陸一些待業或墮落青年樹立「好漢不怕出身低」的榜樣。

由於蘇聰成了知名人士，大陸上報紙、雜誌對他的報導已超過一百篇，對一些添油加醋的個人報導，蘇聰頻頻呼叫：「受不了、很反感、胡說八道。」

雖未做過澡堂跑腿，但在文革期間，蘇聰仍然有一段「不如意」的過去。他於一九七六年自中學畢業後，曾被派去做過一年端茶倒水的工作，據他說，在大陸不工作的待業青年是根本沒有資格上大學的，此外，「大陸生活苦，不工作，那裡有飯吃？」

蘇聰回憶說，他於一九七七年十月份考上音樂學院，七八年四月入學，這是他人生最大的轉捩點，「我一知考上，大哭了一場，大陸青年大學畢業後要自謀生路才有希望，高中畢業學生根本無前途可言。」他表示自己在高中時，數學、俄文都是名列第一，但這些好成績都無用，上大學是唯一出路。

一九八九年八月五日

老臣教幼主・豈不知「戲無益」？

木盒中的黑色蟋蟀，在電影〈末代皇帝〉中露面了兩次，一次出現在片頭清宣統皇帝溥儀三歲登基時，一次則出現在片尾溥儀死前偷跑進紫禁城欣賞自己「寶座」時。這隻蟋蟀，據影片中說是老臣陳寶琛送給小皇帝的「見面禮」，但陳寶琛的外孫女，現居住在南加州的何藝文說，「我的外公是屬於嚴肅型的人，這種事情根本不可能在紫禁城內發生，但是電影有商業上的考慮，我也能理解。」

六十二歲的何藝文女士，過去以「藍明」之名，在台灣正聲廣播電台擔任〈夜深沉〉及正義之聲對上海廣播的主播。她的白人丈夫司馬笑（**John Bottorff**）曾任台北美國新聞處副處長和台南亞洲航空公司總經理，夫妻兩人以及何藝文的弟弟，目前在南加州靠海的

陳寶琛外孫女何藝文女士

避暑勝地**Rancho Palos Verdes**經營「金荷園」餐廳。

溥儀在他的《我的前半生》一書中，多次提到陳寶琛，他對這位中文老師的印象是「最穩重、最有見識的人」，他還說陳寶琛與莊士敦是他的「靈魂」。

何藝文說，她的外公從小便被譽為「神童」，十三歲考取秀才，十八歲為舉人，二十歲進士，卅歲時便進宮能與慈禧太后直接對話。「外公遭很多人嫉妒，其中最甚者是曾國藩的弟弟曾國荃。」何藝文提到陳寶琛因推薦大將對法戰爭失敗，遭曾國荃彈劾，後被慈禧貶放回福州。

「外公在福建一住就是二十多年，除了興辦學校，並建造福建第一條鐵路。」何藝文說，慈禧太后為了替溥儀找一位最好的老師，千挑百選，最後仍然召陳寶琛進宮，「外公再進紫禁城時，年已六十歲。」何藝文說，陳寶琛極力反對溥儀出關作偽滿傀儡皇帝，因此離開了溥儀。陳寶琛晚年寫過《德宗本紀》、《德宗實錄》，是研究清史者最佳史料，並著有《滄趣樓詩集》。

何藝文的小舅舅陳立鷗（**Leo Chen**）是舊金山州立大學中國文學系教授，他是陳寶琛最小的兒子。他常有機會跟溥儀一道玩，覺得溥儀是個很寂寞的孩子。陳立鷗與貝托魯奇是相當好的朋友，在他拍攝〈末代皇帝〉時，曾給予許多史料上的協助。

陳寶琛有十六個孩子，其中十個是女孩，六個是男孩。男孩子中現只剩下陳立鷗，女孩子中，有八個仍然健在。談起她的親戚長輩，何藝文說，她的母親是「七小姐」，她的四姨嫁給了板橋林家，而她的五舅與溥儀最接近，常和他一起打網球。

一九八八年四月廿八日

附錄

從放牛班到放洋

父親第二次中風時，完全失去知覺，沒有醫生認為他會度過難關，並發出病危通知單。一名張醫生在父親出院後說：「他的瞳孔已經放大，沒想到你們孩子對他抱頭痛哭時，他的眼睛出現淚水，挽回了一命。」

一九八〇年夏天，我以第一名的成績自中國文化大學新聞系畢業，並申請到美國密蘇里新聞學院交換生的獎學金，同年秋天，我在父母、親朋好友的祝福及送行下，登上了飛往美國的飛機，就這樣，成了「過河卒子」。

一轉眼，十年過去了，我從一個學生升格為專業記者，從少不經事的二十歲丫頭轉變成兩個孩子的媽媽，能在成長學習過程中平安度過，並能兼顧家庭、事業，我自認相當幸運與不易。

回想自己成長的過程，因從未吃過苦，認為要在競爭激烈、名鎖利纏的社會中，抓準人生方向、不隨波逐流，並不是一件簡單的事。仔細回想，若非父親的苦心教導，我不會這麼幸運，性情不會這麼樂觀。

我記得，這輩子被父親重重打過三次。

第一次是小學三年級。從上學開始，我每學期在校成績總是名列一、二，但上小學三年級的第二個學期，成績單發下來，名次欄居然是「8」，我怕功課退步，回家挨罵，左想右想，想出奇招，只要把「8」的左半邊擦掉不就變成「3」了嗎？倒退一名，爸媽不會太生氣的。

就這樣，半心虛、半得意的心情下，把改過的成績單帶回家。一進家門口，媽媽笑嘻嘻地問：「有沒有考第一名？」見我沒反應，接著問：「成績單呢？」

本來大膽一點就沒事了，見我畏畏縮縮的樣子，讓媽媽起了疑心，她仔細研究我遞過去的成績單，看出破綻，再三盤問下，知道我「偽造文書」，很不高興。更慘的是，她不認為第八名有何不好，懷疑我考倒數幾名，才會出此下策。

猶記小時候，我就像天之驕子，媽媽總是親手為我縫製最漂亮、最新潮的衣服，羨煞許多鄉下的土孩子，爸爸則常「獻寶」：「丫頭是我們劉家三代唯一的女孩子，是劉家的寶貝。」並時時叮嚀哥哥、弟弟，要保護我這個妹妹及姐姐，甚至到了我出國、嫁了人，他還這麼交代。

話說媽媽在看出成績單破綻後，立刻告訴了爸爸，平常把我當寶的老爸，這下大發雷霆，拿著雞毛撢子邊打邊訓，當我痛得哇哇叫時，媽媽又主動做了我的擋箭牌，攔著爸爸不讓我挨打。

為了這次做了「說謊的孩子」，我不但被罰跪，還被爸媽指定寫悔過書，並帶到學校向老師懺悔，老師體諒我「知錯能改」，讓我在全班同學面前閱讀悔過書，做「好模樣」，這種糗事，在我記憶中留下很深刻的印象。

第二次被父親修理是國中二年級。

就像在美國的學區畫分，許多家長為了孩子的前途，把家搬到好學區，那時在台灣，爸爸為了讓我讀仁愛國中，想盡辦法把家的地址改到學校附近，但因每天要換公車上學，從景美坐車到學校要一個多小時，精神恍惚、體力不支下，注意力難以集中。

讀了一年下來，成績不好，被分發到放牛班，當時做放牛班的學生滋味頗不好受，但我還做了牛頭班長，代表班上參加英文演講比賽，享受一陣「寧為雞首，不為牛後」的樂趣。直到成績單六科中出現五科紅字，爸爸決定為我安排轉學。

他將我轉到他任教的螢橋國中「就近監管」，並在家中擺了一塊大黑板，親自替我惡補代數、幾何、物理、化學。

有一天，我放學後，爸爸如往常般又要為我補習功課，當他向我要數學參考書時，我怎麼翻書包、抽屜都找不到，並且一副無所謂的態度。父親重視教育，認為我資質中等，若不努力，未來前途堪慮，他被我唸書不認真的態度弄得火冒三丈，拿起棍子，我再度受到了「切膚之痛」。

提到轉學到螢橋國中那一年，父親替我安排到「好班」就讀，清清楚楚記得，升學班的老師對我一直用「有色」的眼光看待，由於當時每一班級考試成績都要平均起來競爭排名，我這個放牛班的學生安插到升學班，對其只有百害而無一利。

第一次英文模擬考試，我考了三十八分，排名班上倒數第一。記得這名女老師捧著班上五、六十名學生的試卷，從一百分開始唸起，分發給每一位同學，我那時感覺心臟加速、口乾舌燥，心情緊張異常。

終於聽到「劉曉莉，三十八分」，我低著頭、不好意思地走向前領考卷，手才伸出，女老師竟把考卷故意扔在地上，要我彎腰去撿，還以不屑的口吻說：「靠真本事到班上來才光彩，拖累其他同學沒意思。」

我在羞慚之下，撿起考卷回到座位，一語未發。下課後，我一出教室，淚水便唏哩嘩啦地湧出。那一刻，我痛定思痛，決心發奮圖強，為自己爭一口氣，也為父親保持顏面。就在第二學期，我的成績排名第五，並拿到獎學金。

第三次挨揍發生在我已出國唸書一年，暑假回台灣時。出國時，最好的朋友天天曾送我上飛機，回國時，自然也找她重聚。一天晚上，我們相約去見一位過去認識、歌唱得很好的男性朋友。當天他在餐廳駐唱，我們見了面、聊完天後，他堅持送我們回家。

那天，雨下得很大，天氣很冷，這位高大、英俊的男士，先把天天送回家後，再送我回家。到了門口，他說想再聊一會兒，和我一起下車，我們坐在屋簷下的石階上繼續談天。

我自己因歌聲如鴉，很羨慕會唱歌的人，因此趁機「點歌」，要求對方一條條地唱，他見有人欣賞，也老實不客氣忽而低吟、忽而高歌，不亦樂乎地表演起來，時間就這麼一分一秒地過去。

正當我陶醉在「一人獨唱我獨聽」的情景時，「砰」地一聲，只見父親鐵青著臉打開門，然後一言不發將我一把拉進門內，然後又是「砰」地一聲，把大門重重關上。

進了門內，媽媽面色十分凝重，父親要我跪下，他動手打我後，自己眼淚忍不住也涑涑掉了下來，他說：「培養妳到現在，還不知道我們的苦心，妳現在已經做了人上人，還不懂得愛惜自己？」

我從母親口中知道，那天晚上他們在我午夜十二點半還未進家門時，擔心我遭到不測，打電話給天天，她不清楚我的行踪，因此使他們更加擔憂不已。老天爺，誰知道，我在樓下高高興興聊天，他們在樓上急得來回踩步，差點報警！

我為自己的疏忽而使父母擔憂感到無限愧疚，體會到：他們從小細心栽培的花朵，如今開始綻放，若這麼毀於一旦，該叫他們多麼傷心？見到父親落淚，我跪在地上許久、許久不敢起來，恨自己為什麼不能體會父母一向的慈愛寬容，任性放縱而讓他們心傷難過。

父親教訓我時總毫不留情，但每次在曉以大義後都「既往不咎」。平常，他是個最達觀、幽默的人，與我們三個孩子是無所不談的朋友，他教我們要「有大學問，無小胸懷，善用智慧，悟無邊之理。」他要我們「發揮自己所長、盡自己努力，不要一窩蜂追求別人所訂的目標，而是要發揮自己特色；不要羨慕別人過早的豐收，大器晚成才經得起考驗。」

有兩戈，逼死多少英雄；窮只一穴，埋沒無數好漢。」因此他們拚命賺錢，要我們三個孩子不為生活憂慮，能在事業上全力以赴。出國十年，我自己花掉父母多少錢恐怕要很久、很久才賺得回來，但他們的恩情，我卻永遠無以回報。

一九八四年八月八日，我特地挑了父親節做為我和未婚夫結婚的日子，爸媽特從台灣來密蘇里州參加了我們的結婚典禮，父親在將我的手託付到另一個男子手中時，又已是老淚縱橫。

一九八七年夏天，我在洛杉磯《世界日報》工作，先生在堪薩斯州一家核能公司擔任工程師，爸媽特地又來美為我打氣及照顧孩子。

我當時才升任採訪組召集人，壓力很重，情緒不穩，又滿腹牢騷，父親見我忙碌，除了鼓勵安慰外，他身體上的不適均沒有告訴我，一個多月後，他把從台灣帶來的高血壓藥吃完，也未曾「驚動」我帶他去看醫生及補充藥罐。

又是另一個父親節，父親在午睡過後起身，一下失去平衡跌倒在地，經救護車送到醫院，醫生診斷為中風，但沒想到三天之內，從右腳痲痺、右手痲痺、到左臉失去知覺，一時轉化成半身不遂。

第四天父親完全失去知覺，多位醫生會診，並做了腦部掃描，發現腦血管擴張，並壓迫中樞神經，開刀很危險，但不開刀可能一輩子昏迷或死亡。那時父親的呼吸系統是用人工機器協助，他的喉部被開了一刀，身上插了無數的管子。

青天霹靂下，令我們錯愕萬分，哥哥、弟弟及我的先生從不同的地方趕來加州，看到最親愛的父親躺在床上奄奄一息，我們內心無不絞痛、害怕。媽媽在泣不成聲時，並未亂分寸，她叫我們要有心理準備，她要哥哥把爸爸的西裝、皮鞋準備好，交代我去把他的照片放大，這一切，是要我們準備「辦後事」。

在不斷請求醫生做最好醫療時，醫生均表示無能為力，對是否能恢復知覺，也認為希望不大。那時我建議為爸爸洗禮，媽媽答應了，找來兩位牧師在床前為父親禱告，媽媽對上帝說：「主啊！請把我有限剩餘的生命，分一半給茂功，讓我們一起走完人生的道路吧！」充分顯出母親對父親的愛。

爸爸是個不信教的人，但小時候家裡正廳上總掛著十字架，做為我們三個小孩做錯事罰跪懺悔之用。說也奇蹟，爸爸在昏迷十多天後，居然手腳開始有了反應，他在八月二十日，六十二歲生日當天被轉到南加大醫院，我們在陳照醫師協助針灸後，半個多月後又轉陪同下，坐著輪椅回到台灣調養。

一九八九年農曆年我帶孩子回台灣探望父親，並在友人建議下帶著治療中風的黑色丸子中藥回台。父親那時復健很成功，拿柺杖自己可以行走，我們三個孩子都希望他與母親能再到美國與我們住在一起，享受天倫之樂。

我回美國一個月後，突然接到五舅的電話，說父親胃出血，醫生診斷要把整個胃切掉，我一聽全身發軟，又聽說他可能在吃了我帶回去的中藥，過度刺激胃壁，造成大量出血，我當即引咎自責，感覺天昏地暗，父親難道真為我擔憂了一輩子，還要賠掉老命？

我和哥哥、弟弟在最快的時間內趕回台灣，被暗示「見父親最後一面」，但回台後，才知道醫生誤診，把中藥當血塊，數度檢查後，確定是二度中風，而未把胃拿掉。

這次中風和第一次的情形大致相同，再度靠人工呼吸器、喉部又開了一刀，在加護病房看父親昏迷，打點滴，身體一天比一天瘦弱，感到無助與心痛，醫生對父親病情是否會好轉毫無把握，只說二度中風好轉機會不大，一切要聽天由命。

家裡許多親戚都很幫忙，他們全部放下工作前來探望父親、安慰母親，特別是從小和我們在一起的四姨、五舅，更是每天來回醫院探望父親，給母親增加很多力量及信心。

在母親辛苦照料下，一個月後，父親病情好轉恢復知覺，我在依依不捨的心情下，回到美國工作。

一天晚上，我翻閱父親過去寫給我的三十多封家書，不自禁眼淚直流，他無法再提筆寫信給我，但希望再聽聽他的「教訓」，我隨即撥一通長途電話給他。

爸接到電話，我在美國這一端大喊：「爸爸，我是丫頭，你好嗎？」

父親聽到是我的聲音很欣喜，問：「小丫頭呢？吵不吵？」爸在我生下老大時，笑稱我是「娃娃生娃娃」，對不懂事的丫頭成了小婦人的事實還頗不能接受，現在又生下了老二，由他取個小名「妞妞」，雖沒見過面，但一談到她，便會開心地笑個不停。

我告訴爸爸，妞妞吵得我頭昏腦脹，正大吐苦水時，爸爸居然幽了我一默：「養丫頭我有經驗，慢慢來，好戲在後頭哪！」

養兒方知父母恩，爸爸盡了最大努力養育他的三個子女，他把棒子移交給我們，希望一代比一代強，我們也希望他保持健康，再與我們相聚，享受開花結果、含飴弄孫的樂趣！

一九九〇年四月十五日深夜於加州聖荷西市

父親的叮嚀

丫頭：

閒來看報紙，讀到別人執春秋之筆，立德、立功、立言，除激賞外，卻把希望加重於妳，他日小莉亦能如此，方不負龍心。

妳在工作中除跑與寫之外，是否也在不遺餘力，細讀與揣摩別人的佳作，他山之石可以攻錯，別人嘔心瀝血，評議時政，月旦人物，嘉言讜論，多看可使我們心靈澎湃，邁向豐富，否則故步自封，停滯在某一層次，毋忘不進則退，宜自惕自勵，知病求行，剪報數則，與妳共賞！趁時與妳鼓勵一番，讓信心與熱忱伴著妳。莫笑老爸彈舊調！唱荒腔！

此祝

進步

父字

曉驊：

月初你來的短函中，涵蓋有「我的理想」和「理想的我」，我們都贊成你的認識，希望你堅定不移，發展理想與信念，同時要澄清價值觀，以求無忝此生，既然向頂點邁進，就得要風簷展書讀，與日爭寸晷，否則怎能化臭腐為神奇，那得梅花撲鼻香？

在美生活大多在困苦中，比上不足比下有餘，雖有難題，不要氣餒，相信你會運用智慧和能力去克服。要認識成功不一定是指大事，每一件小小工作的完成都是成功。只要發揮了自己的所長、盡了自己的努力，一種無愧於心的收穫也是絕對的成功，不要一窩蜂的追逐別人所訂的目標，而是要發揮自己的特色；不要羨慕別人過早的豐收，大器晚成才經得起考驗，要英雄不把窮通較！

最近家裡工作比較忙，有時間做文章，長話短說，送你一則古人的箴言，大家共同勉勵——Neither to cry for the moon, nor to cry over spilt milk。

父字

八六年十二月二十二日

曉驊、曉莉：

明天就要去外交部拿護照，親友來祝福，恰似春風吻上我的臉，告訴我現在是春天，使人沈沈欲醉！

小聖（曉莉的兒子）來到我們劉府時，尚不知曉打招呼與問好，但仍令人我見猶憐，奶奶更是相見恨晚，一來我們就告誡他，外婆高血壓，經不起哭鬧，要他收斂自愛，他倒也似曾有靈，點頭稱是，無奈他慧根淺薄一如他娘小時候，搞得家裡天翻地覆，收音機被砸了，牆壁被劃了，電動火車被摔爛了。有一次帶他去台泥大廈洽事，他居然拉開褲子，在人家辦公室尿尿，真是糗事連篇呀！

昨日電視天涯若比鄰節目，介紹馬來西亞風光，其中有一瞥土著兒童吃榴槤，你媽驚叫「他們多像小聖」，始悉小聖是土番一個（曉莉的先生出生於馬來西亞）？他夜晚夢中醒來，總是爬進公公懷中，不停地吻公公，寫出一首愛的小詩，韻味雋永，我們感覺到“**He makes us happy when sky is gray**”。

邦邦（曉驊的兒子）也長高了，很伶俐，卻驕縱一點，昨天同他媽媽鬧翻了，要回新店依爺爺奶奶，奶奶擔心他乍回美國，一時不能適應，會遭老子修理，特別交代教導孩子要有耐心，並說你們對邦邦只有服務的義務，沒有懲罰的權利，他在台灣時跳一跳，轉個圈圈，都給我們留下深刻的印象。

令弟小虎昨日由Genoa港經熱那亞、那不勒斯、巴勒摩、歷八小時的火車，到達了羅馬，抱著他的長笛在羅馬市高唱〈中華民國頌〉，他海天遊踪，已足徧天涯，他足下已踩過溜沙古堡、漢普頓宮、紅磨坊、羅浮宮、聖母院、凱旋門與康考特廣場，將來會見的時候，他會跟你們聊明月秋風納塞河，風光旖旎巴黎城，教你們俯耳恭聽，瞠目相看！

他欣賞世界第一大港鹿特丹，嘆基隆港是水溝一灣，他羨慕亞柏列香檳大道，其大其平無比！他說他經易北河時水波不興無驚濤駭浪，他躺在甲板上唱"**Long I love my country with all my heart and soul—**"其樂悠悠！當微星疎疎幾點，忽隱忽現時，趣味更美。他形容海鷗飛在藍藍的海上，不怕狂風巨浪，給人啟示最多。

奶奶這幾天老是夢見在美國想回台灣，已倦客思家，你們美國除環球影城外，還有什麼地方宜看？宜遊？宜流連？

祝

你們進步快樂

父字

八六年十二月五日

訪世界十大革命性偉人晏陽初

一九八七年十月底，「中國平民教育運動之父」晏陽初博士，被請到美國白宮，接受雷根總統頒贈「掃除飢餓總統獎」（**Presidential End Hunger Awards**）的終身成就獎。

這當然不是晏陽初的第一項榮譽。早在一九四三年，他與愛因斯坦在美國學術界紀念哥白尼大會上，共同接受「世界十大革命性偉人」的榮銜。

高齡九十有四的晏陽初，從青年時代就獻身中國平民教育，希望能把窮苦的中國農民「從根救起」。後來他這項工作推展成國際運動，使世界各地很多亟需幫助的平民受益。

美國極受尊敬的最高法院大法官威廉·道格拉斯（**Williams O. Douglas**）稱讚晏陽初

所做的事「有如基督」。以晏陽初平生所表現的「無我」和「博愛」精神，這話不算過譽。

晏陽初博士於八七年十月自菲律賓到華盛頓接受雷根總統表揚後，便留在么女晏華英在亞利桑那州鳳凰城附近Scottsdale市的住宅休養，並讓醫生檢查他腿部的毛病。記者到Scottsdale市訪問他。過完聖誕節，十二月廿七日他又由洛杉磯返回菲律賓，繼續推展第三世界各國的平民教育及鄉村改造運動。

晏陽初主持第三世界農村改造運動，無論過去或現在，一再強調：解決落後地區人民的問題，不是用救濟，而是鼓勵他們發揮自己的潛力，自立自助（**Relief is not the answer, but release.**）。

晏先生的這種偉大革命思想，是他本身獨立人格的延伸。

舉個最小的例子，晏陽初由於體能自然老化的現象，雙腳已呈僵硬，動彈之間顯得遲緩，但他起立坐下，都堅持不要任何人攙扶。看他走路雖然慢，但每走一步卻又十分平穩及自信。

晏陽初雖有「活聖人」（**Living saint**）之稱，但他卻極端地平易近人、幽默風趣、能自娛娛人。他在接受記者近四小時連續採訪過程中，自己起身在客廳來回踱步，運動一下筋骨，並說：「為節省時間，妳繼續發問不用起來。」

當他走到孫女兒們的鋼琴邊時，又忍不住要表演兩手，只見他修長枯瘦的兩手一碰琴鍵，優美的旋律叮叮咚咚地奏了開來，他還說：「我不但會彈，還能唱，這就是為什麼我在耶魯時，參加大學唱詩班能賺到一百美元，來補繳學費的原因。」

晏陽初七十年來在世界各地奔走，推動平民教育及鄉村改造運動，從未間斷一日，他造福廣大群眾的意志有如鋼鐵般，不但不為任何政治因素所左右，也從未因工作太勞苦艱辛而放棄奮鬥的目標。他本人是「從象牙塔走向泥棚子」活生生的例子，也感動了許許多多的知識分子，捲起衣袖、穿上草鞋，一同下鄉為勞苦的農民效命。他為自己歷年來的工作下了一個感嘆註腳：「說起來容易，做起來呢？恐怕只有天知道！」

晏陽初於一九六七年在菲律賓馬尼拉郊外成立「國際鄉村改造學院」，現正積極訓練及培養來自世界四十四個國家的農民研究專業人士做鄉建領導人才。目前該組織在中南美洲的瓜地馬拉、哥倫比亞、非洲的迦納、亞洲的印度、泰國、菲律賓都設有改造中心，做為推動第三世界鄉村改造的據點。中國大陸自共黨佔據卅多年以後，目前也開始派了六個省分的代表至該學院學習。

由於晏陽初已高齡九十四，最近幾年到世界各地演講或領獎，都有一位菲律賓籍女士陪同，照料飲食起居。

這位女士在記者採訪晏陽初時，曾滔滔不絕地敘述追隨晏陽初到世界各地增廣見聞，與各國政要及高級人士會面的「奇遇」。

八七年十月底，她也陪同晏陽初至白宮接受雷根總統頒贈「消掃飢餓總統獎」（**Presidential End Hunger Awards**）的終身成就獎，她興奮地說：「像我這種普通人，在菲律賓怎麼能到王宮參觀？但跟著晏先生，我居然仰首闊步地進入美國白宮！」

這名菲國女傭告訴記者，三年前她不識一個英文字，但進入晏先生創辦的「菲律賓鄉村改造學院」學習後，進步神速，在照顧晏陽初生活起居的這些年來，他不但糾正其英語發音，還指導她做許多道地的中國菜。

她認為晏陽初是位天才教育家，她的際遇像奇蹟般地被改造，她從來不敢夢想自己有一天能到美國及其他國家，搜集各國記者照片，與消息最靈通的記者自由交談，接觸廣大的群眾及開眼界。

這名女傭的一番話雖然簡單，卻充分道出了晏陽初的偉大處，他被稱為「世紀偉人」，並不在於高官祿位或經常接受各國領袖的頒獎，而是他在千千萬萬第三世界小人物身上，如同在這名女傭身上，「點石成金」，化腐朽為神奇，產生了巨大的影響力。晏陽初七十年來致力發揚的國際平民教育，就是要叫每一名凡夫俗子都有平等的機會接受教育，開拓眼界，運用他們自己的心、眼、手，創造自己的前途。他的真正偉大處，就在於為天下貧苦民眾開啟了一線生機，將「小人物的狂想曲」融化在真實的世界。

一九八八年六月七日

採訪外記

晏陽初博士為了使讀者了解其思想及平生從事的革命性工作，同意以問答方式訪問。以下是訪談紀錄：

問：一九一八年第一次世界大戰時，二十餘萬華工在法國戰場做工，而晏先生自耶魯大學以優等成績畢業後，即前往法境為華工服務。您有這麼好的學識基礎及公認的口才，相信若從事外交工作，也必定一鳴驚人。您未選擇從政或往升官發財一途發展，反而朝窮苦的鄉下跑，從事艱苦的平民教育及農村改造運動，是何種力量及因素奠定您這種眾醉獨醒、終生努力的目標？

答：我在耶魯大學學的是政治、經濟，是可以升官發財。但當時我以一名書呆子跑到法國教育苦力，事實上卻讓苦力教育及感動了我！

我到法國去時，主要工作是為苦力們寫讀家信及充任翻譯，但連續十個月後，大家每天像買票排隊看電影，一、兩百人隊伍，要我為他們解除鄉愁。我想，與其幫他們長期寫讀家信，何不教他們讀書識字？

這些苦力們不但好學，也能學，每天做完挖戰壕這種粗重的工作，連續十多小時後，晚飯也不吃，在天寒地凍下，跑來參加識字班，問他們為何不先吃飯，他們答：「怕錯過晏先生的識字班。」孔子講「發憤忘食」，這些人才真有資格稱得上發憤忘食！

苦力們原一字不識，如今對識字讀書興趣濃厚，他們學習能力強，在短短三個月內都有驚人的進步。這些經驗讓我領悟到人民的潛力是可以開發的，一般人只見到苦力的「苦」，卻未見到苦力的「力」！或者只對苦視而不見，不去救！

中國是個苦力國家，百分之九十皆為農民，光靠一兩人出頭是沒有希望的。你看，印度雖然出了一位偉人甘地，但它還是落後國家。

國家要富強，人人要有平等的機會去接受教育，中國有許許多多有潛力的林肯、愛因斯坦，但卻沒有機會！若林肯出生在中國，恐怕也是一名苦力罷了。

中國人民多，疆界大、歷史長，我們若能教育廣大的民眾，中國不可能不強。我提倡平民教育就是相信平民有平等機會受教育，國家才可以太平。

「邦有道則仕，邦無道則隱。」是中國封建時代士大夫的看法，等別人一切弄好後就出來，若國家不平安，則自鳴清高地做隱士。我們現在不同了，別人不幹，我們要幹！

問：晏先生認為平民教育的最高目標在救國強國，您從事平民教育及鄉村改造運動已有七十個年頭，若您還有另一個七十年，將要做些什麼事？

答：我要做的不光是另一個七十年，而是七百年後的事，「掃除民盲」是最重要的目標。「民盲」是我自創的名稱，代表中國的高級知識分子，士大夫、做官的人，沒有看到人民的潛力。中國幾千年來的愚民政策，使我們成為弱國。「民為邦本，本固邦寧。」我七十年來就是在從事固本的工作，只有從鄉民教育著手，國家才有希望。

在歐美，有些人物雖然沒進過大學，但卻成為人類有史以來偉大的政治家。原因何在？因為他能讀啊！他可以自己從書中得到知識，他能看得懂聖經，他可以思考問題。

中國人有兩種盲，一種是文盲，一種是民盲，我過去所從事的是掃除文盲的工作，而未來，要掃除民盲。「掃除世界民盲」是我最終目標。我要叫一般知識分子了解，中國幾萬萬人口是可教的！是有才能的人！人皆可以為堯舜！我要去開腦礦，要知道，全天下最大的腦礦在中國啊！

問：中國大陸曾於一九八五年九月邀請您回大陸，參觀定縣及其他鄉村地區，您於今夏又再度去了一趟，中國自共產黨掌政後，您有卅六年的時間沒有回到自己的家鄉，這兩趟回去觀感如何？

答：我們視共產黨為仇敵，卅六年來沒有往來，但現在他們卻主動要與我合作及做朋友，我很高興當道者不完全都是那麼糊塗的。

他們以人民代表大會的名義聘請我回去，我一向無黨無派，不願受政治干預，但他們以中國民眾的名義邀請我去，我不得不去啊！

他們想建設一個新中國，敢打開門戶，是共產政權從未有過的事。一九八五年他們請我去，走馬看花，彼此都不甚了解。第二次，也就是今夏，我主動去深一層地了解，他們如何幹，為何幹？到底做些什麼，弱點及優點何在？我在那些地方可以幫忙？

過去在河北定縣的鄉村教育實驗工作並不能一成不變的搬到別地方去，每一個地區都必須做徹底研究，用科學方法去改革。目前中國大陸派研究農民的六個省分專家學人到菲律賓「國際鄉村改造學院」來研習，做些準備工作。

孫中山先生曾形容中國人為「一盤散沙」，日本人則稱我們是「東亞病夫」，我們除非掃除中國人的愚、窮、病、私四個大毛病，否則永遠沒有希望。

假使要在中國大陸做鄉村建設，要有全權自由研究的條件，必須先調查整個中國的情況，再研究，再想一套科學方法解決。

問：晏先生在美國停留過很長的時間，瞭解美國人有獨立奮鬥的精神，個人主義雖強，但對公共事業非常熱心，有人認為中國人則太缺乏團體意識，「各人自掃門前雪，不管他人瓦上霜」的觀念似乎一直是中國人的商標，您從事平民教育數十年，有沒有辦法改掉中國人的這種自私的性格呢？

答：平民教育的主要內容，便是培養四種力量，知識力、生產力、健康力及團結力。這四種力量像是四個手指，單獨無法發揮力量，但是聯合起來則作用很大。除了歐、美外，愚、窮、病、私不只是中國，也是其他國家的大問題。沒有這四種力，問題一直會存在。

中國人所以自私，是因為人民太脆弱及愚昧無知。人民有了知識，能自給自足、預防疾病及相互合作，才有作「新民」的條件。

消除文盲是平民教育的基礎，作新民才是平民教育的積極目標，新民代表的是中國人民新人格的建設。我過去曾強調，平民教育不是施捨的工作，而是一種鼓勵及培養農民自覺、發揮自己潛在力、自力更生的工作。

中國人自私，是因為尚未發揮四力，普通教育尚稱不足。一百年前，美國有一名研究農夫問題的專家，走遍世界各地考察，他下了一個結論：不用機器，能赤手空拳打天下、最能生產的便是中國人。要是這些人再加上教育，那還了得，有了科技，中國不能不強，不能不富。

問：晏先生為平民教育及鄉村改造運動奮鬥了七十年，「人往高處爬，水往低處流。」要鼓勵一般高級知識分子跟著您「走出象牙塔，搬進泥棚子工作。」絕非容易的事，您在倡導這種革命性的思想時，誰是您最志同道合的夥伴？

答：的確，無論是中外高級知識分子，在得到知識學位後，要鼓勵他們下鄉，過一般農民勞苦的生活是相當不容易的。我和我的妻子許雅麗共同奮鬥了一生，是真正的同志！

我從歐洲大戰後回到大陸，滿腔熱血辦平民教育，要找同志同道，真是千難萬難。許雅麗當時是基督教女青年會幹事，而我是男青年會幹事，過去我們在美國本來認識，但不熟悉，回上海後碰面，兩人都有滿腔熱誠要「革命」。

許雅麗是哥倫比亞大學師範學院體育系高材生，七十年前在上海辦女子體育學院，那時女人還是裹小腳的時代，怎可蹦蹦跳跳？當時為女人辦教育已經不容易，辦體育學校更是聞所未聞，因此她回國教女子體育，強種強國也是革命思想。我辦的平民教育，更是中國幾千年來愚民政策下從來未發生過的，我們兩人辦教育革命，真的算是同志、同道了。

我比許雅麗大兩歲，她於一九八〇年去世，享年八十五歲。許雅麗是紐約市受任神職第一位中國牧師許芹的次女，其母是美國人。

問：晏先生與許雅麗女士共有幾位子女，他們現在都在何處？

答：我們有三個兒子、兩個女兒。長子振東是工程師、次子新民是音樂家，兩人現都在中國大陸，四女群英現在紐約，么女華英住在亞利桑那州。

我的老三福民，在「四人幫」當道時，擔任學聯領袖，青年人都很崇拜他，由於與四人幫江青意見不合，被視為洪水猛獸，讓當道者關了起來。老三最聰明能幹，也是最有骨氣、有品格的孩子。他在獄中被折磨得受不了，「士可殺，不可辱。」最後臥軌自盡。

振東的兩個女兒現在都在美國，新民未婚，福民有兩個女兒國青及偉誼，群英有兩個兒子，華英有六個女兒、一個兒子，我共有十三個孫兒、孫女。

問：晏先生最佩服的中外人士是誰？

答：梁啟超是我最尊重的一位知識分子，他辦《新民晨報》，「新民」的思想是革命的思想，是現代的思想，過去一百年，很少有像他這種純粹偉大的學者。

我創平民學校時，原想請他主持，把我的一套想法說給他聽，當時他穿著汗衫、打著光腳，生病躺在床上。當時中國辦報最有名的是《大公報》，行銷一萬分，已經很不得了，我告訴梁任公，我在美國有個好朋友，辦報每月一萬萬分。他驚訝地說：「真有這種事嗎？」我請他加入平民學校，發揮文筆的力量，他答應了。可惜幾個禮拜後死了，他死時只有五十歲。像他這種革命性的學者屬於鳳毛麟角，一般的社會思想只是「自己學問自己學，不管他人學不學。」

在外國人當中，我最佩服的是美國總統塔虎脫先生（**William Howard Taft**），他是我在耶魯大學讀書時教美國憲法的老師，他在做美國總統任行政工作後，又做了司法部最高法院大法官，他在退休後，又回母校耶魯大學教書，他發揚的民主憲政思想，影響許多後輩學子。

在美國總統當中，與我有私人交往的包括塔虎脫、柯立芝、艾森豪、羅斯福、威爾遜、胡佛和杜魯門。

問：在晏先生看來，「成功」的定義是什麼？

答：成功的範圍很廣，有大成功、有小成功，許多人太順利，讓許多小小的成功迷惑，到時卻是一個大失敗。小失敗可以成為很好的教訓，記取教訓，知道失敗的原因，得到知識後，就可成功。想要成功，一定要付出代價。

一九八八年六月八日

作者與晏陽初合影

採訪小記

晏陽初已於一九九〇年元月過逝，我在一九八八年奉聯合報系美加新聞中心張作錦先生之命，特別兩度坐飛機從洛杉磯到亞利桑那州，親訪晏先生，能訪問到這位世紀的偉人，聆聽他的人生哲學，使我受益無窮及永遠難忘。

洋人世界話採訪

在美國任華文報的記者是什麼滋味？如何取得新聞線索？要具備何種條件？我想因主客觀環境不同與路線劃分不一，每個記者的心得經驗也互異。

若分析此地的華人社會，可以了解華人報紙扮演的角色與功能是十分多元化的，為滿足不同層面讀者的需要，報紙除了提供諮詢外，服務性質相當濃厚。

站在新聞第一線，接觸的採訪對象十分廣泛，此地有說廣東話的老僑、有來自港台、東南亞的新僑、有土生土長的第二、三代華人，除了服務他們之外，記者也常需要與美國本地人接觸，擔任美國社會與華人社區間的溝通橋樑。在此地做記者，最基本的條件，必須要是個通才，了解美國社會文化背景，在英語溝通與閱讀方面要下功夫，否則在理解及採訪過程中，常會因「差之毫釐」而「失之千里」，很容易誤導讀者或鬧笑話。

在華府任《聯合報》特派員的王景弘便表示，在華府做記者，接觸最多的是國務院、國會、白宮，採訪工作進入到另一種層次，普通的「買菜英語會話」絕對不夠用，一定要對事件的背景有充分的常識，才可能命中問題的核心。

他說，白宮發出三千至五千張記者證，也有新聞發佈單位，每天有專人應付大大小小不同的傳播媒體，他們對本地記者及外國記者不會有差別待遇，「只要你問得出問題，他們皆會作答。」

因此，要在華府跑政治、外交方面的新聞，需要對美國政治、經濟、歷史、社會、文化各方面做通盤的瞭解，對美國人的想法、觀點、制定政策的方式也要洞悉，配合華人社會關心的問題後，才可能寫出完整、深入的報導。

他指出，訓練自己知識豐富最好的辦法便是勤讀英文報紙、雜誌，此外，要與事件經辦人多接觸、多談。

王景弘從事新聞工作二十四年，常被派到各國採訪重大新聞事件，他所到之處，包括中國大陸、蘇聯、日本、韓國、泰國、西德、香港、雅典、義大利、法國、瑞士、倫敦、馬拉圭等地，另外最近隨著「蘇東波」之民主改革潮流，至東德、羅馬尼亞、匈牙利、捷克四個國家做了兩週的採訪，沿途寫了三萬多字。

到陌生的國家採訪，他首先做許多準備功夫，事前收集資料，然後針對與中國人有關聯的問題及站在中國人的觀點上，把一些疑問藉由採訪做補充及分析。「我們與東歐這些國家沒有邦交，不可能見到大頭，而這些人很多只是掛名，對實際問題不見得可以深入去談，因此與一些做研究的人或與實際業務有關者討論問題，反而會得到答案。」王景弘表示，到東歐採訪的日本記者隨身帶著日文翻譯，而他是在當地付錢找到英文翻譯。

這種旅行式的採訪經驗，王景弘認為可以得到許多新的刺激與震撼。「我們從書本上讀到的東西，印象不深刻，遠不如實際採訪第一手經驗，到一個新地方可以引發好奇，對情況較能有正確的掌握。」王景弘說，他的工作活動空間大、彈性大，也因此能專心研究問題。

他表示：「美國的新聞媒體記者常要調動路線，東西看不完、學不完，每天都有新的問題發生，因此若老是待在同一路線，會產生彈性疲乏的現象。對一個新記者感興趣的事件，可能老記者覺得沒有意思，失去新鮮及刺激。」

他認為現在國內有許多記者一開始便跑政治新聞一個單線，要他們改跑社會新聞便成了「屈就」，這種產生的弊病可能是在一個新聞單位中留不住，或是對整個社會無法做通盤瞭解，若負責全盤的採訪策劃便不能面面俱到。

他回憶剛進《聯合報》時，由孫建中先生任採訪組副主任，那時少數的人要負責很多版，而最基本的訓練是，新進記者要從社會新聞跑起，訓練到某一種程度才可能調到另一個路線，因此工作都是很紮實的。

王景弘於一九七〇年受美國國務院邀請至美國訪問，一九七一年至七三年在密蘇里大學取得新聞學士學位，七三年至七五年在馬利蘭大學研究新聞學與國際傳播，並取得碩士學位，學成之後回到台北，七六年《世界日報》在美國創辦，他先到紐約，七八年再調至華盛頓。之後到莫斯科、烏拉圭、福克蘭島、北京採訪高峰會議，表現傑出。

在華府跑新聞的另一名傑出的記者是《世界日報》的陳以漢，他來自香港，也自密蘇里大學新聞學院畢業。他曾在《紐約北美日報》及《中報》做過記者，一九八六年進入《世界日報》，一直在華府跑新聞。他認為做記者除了辛勤外，培養新聞來源、建立良好關係都是最基本的。

「在此地有一個採訪三角——國會、聯邦政府與民間遊說團體，由於這裡的消息來源相當多，如何過濾新聞反而成了一門大學問。」他舉例說，國會眾議院就有五百多個眾議員，每個眾議員代表不同的利益團體，民間遊說團體也是一樣，是個註冊性的組織，發放自己的新聞稿，他們很瞭解如何利用新聞界為本身宣傳，因此如何選擇新聞成了重要課題。

在華府的國會圖書館、國會聽證報告、新聞稿、周刊、月刊、英文報都是新聞線索及資料來源，需要花時間去消化。陳以漢說，消息的重要管道，包括建立人事關係，比如國會司法委員會底下有一個移民小組，他和幾名議員都彼此熟悉，常保持聯繫，因此遇到重大消息便易得心應手。

他表示，在華府跑新聞收穫也很多，可以瞭解美國立法運作過程，「像國會舉行的聽證會，在美國都是公開讓人旁聽，在香港就不一樣，並無所謂的聽證會，也因此一般人對法案通過的過程及原因絲毫不瞭解。」他說，這種民主式的作風也有缺點，就是法案通過的過程相當慢。

陳以漢也認為：在華府跑新聞，不是中文、英文報的差別，而是大報、小報的區別，碰到大消息時，第一個受通知的一定是《紐約時報》、《華盛頓郵報》等銷路大、影響層面廣的報紙。比較起來，華文報成了小報，他在一次採訪時告訴對方自己來自*World Journal*（《世界日報》），但對方沒聽過《世界日報》，居然問一句：*Wall Street Journal*？（《華爾街日報》？）但陳以漢說，雖然是小報，但小報也有小報的做法及管道。

跑地方性新聞成功的例子，《世界日報》洛杉磯分社的記者胡清揚可做一代表。由於長期的接觸與摸索，她對美國地方政治的運作瞭若指掌。

胡清揚是南加州著名的「小台北」蒙特利公園市議會常客，幾年來，她每兩週均有一次要到市議會採訪新聞，因蒙市的華人新移民已超過百分之五十，所討論的議題幾乎與華人都有密切的關係。

雖然蒙市的華人占多數，但採訪仍然必須以英文進行，碰到一些與都市計畫有關的專業化議題，若不是有經驗的記者，常會丈二金鋼摸不到腦。胡清揚指出，記者在針對某一項問題若不懂，一定要開口問，不能悶著頭寫稿，因為編輯不在現場，無法指正錯誤，而往往若發生錯誤，要在隔天刊出更正啟示，補救常是無濟於事或造成損害。

胡清揚畢業自政大新聞系廣播電視組，是美國洛杉磯加州大學影劇系電影電視製作碩士，她認為在美國做一名稱職的華文報記者每天一定要看中英文報，平常也要收聽廣播、電視，了解國家大事及地方要聞，常識必須非常豐富。

一九八一年在《國際日報》擔任編譯以來，胡清揚一直從事新聞工作，她指出，對比較資深的記者而言，能留職停薪，再進修充電是很重要的。「無論是旅行或回學校選修課程，常會有新的啟發及靈感，長遠來說，可以開拓另一種新的境界。」她表示，在美國採訪，由於幅員太廣，報社能方便記者用傳真機發稿，而不必到報社「上班」也是很大的福利，可節省許多時間及不必要的奔波。像有些記者住家與報社離得很遠，他們在截稿之前若有重大新聞，還要計算及擔心來回車程的時間，那麼在寫稿慌忙之中，若掛一漏萬，便得不償失。她說，在洛杉磯採訪組已有一半的記者使用電傳發稿。

做一名結了婚的女記者，胡清揚認為，家人必須要體諒及配合，特別是她跑議會新聞，有時採訪到三更半夜，寫完稿回到家都已近天明，無法像「正常人」一樣朝九晚五有規律性的生活。此外，由於她也負責其他路線新聞的採訪，時間常被分割，很難做整體計畫。這是做記者的一個苦處。

她認為在海外的華文報與國內報紙有一明顯的不同，工商服務部的「氣焰」高於採訪組，由於他們是賺錢的單位，常在不得罪廣告客戶之原則下，干涉採訪組的作業。例如某些新聞對某「大戶」不利，他們在財大氣粗下，「指揮」報社廣告代理人「不要上新聞」，完全無視於對社會的責任。站在記者的立場，對多數讀者「知的權利」有義務善盡職責，但在利益衝突下，限於職權，除了嘆息外，只能感覺無奈。

由於美國的槍枝管制較鬆，記者的夜間安全是個必須被重視的問題。例如在洛杉磯的《中報》正門曾被人開過好幾槍，子彈穿牆而入，另外《世界日報》也在四月十三日晚上正門被開了三槍，把玻璃打碎，過去也發生台獨分子不滿報社言論，在報社牆上塗鴉事件，對記者來說，造成極大的心理負擔。

曾在紐約擔任《世界日報》記者的林寶慶就有兩次夜間在報社門口被搶的紀錄。搶犯分別是墨西哥人及黑人，一個有槍、一個有刀。

在《世界日報》尚未搬入新大樓之前，舊址的安全系統比較差，她第一次因為皮包中帶有口哨，她在使勁吹哨之後嚇阻了歹徒，但第二次因對方有槍，她不敢輕舉妄動，乖乖地讓歹徒把皮包及車鑰匙拿走，然後再進報社報警。

這兩次都很幸運地沒有受傷。由於紐約治安較差，她的家中也遭過小偷光顧。

林寶慶表示，由於有幾次不愉快的經驗，她後來每次出門皆前後左右看是否有人接近跟踪，提高警覺。另外現金、支票不再帶在身上，重要證件放在衣服口袋內，皮包只放一些雜物。由於在紐約晚間上班壓力太大，她請調華盛頓任記者，主跑華人社區新聞。

林寶慶自東海大學中文系畢業，曾在《中國時報》任編輯，八六年從密蘇里新聞學院畢業後便進入《世界日報》工作。她表示，每天接觸不同的人與事，和許多同仁一樣，在工作中獲得許多知識，是採訪新聞的一大樂趣與收穫。

世界日報叢書

星條旗下的中國人

著者　劉曉莉
發行人　王必成
出版者　世界日報社
總經銷　聯經出版事業公司
臺北市忠孝東路四段五五五號
郵政劃撥帳戶〇一〇〇五五九—三號
電話：三六二〇一三七
印刷者　世和印刷事業有限公司

定價：新臺幣一七〇元

中華民國八十年三月初版

ISBN 957-08-0530-7　・E85100・